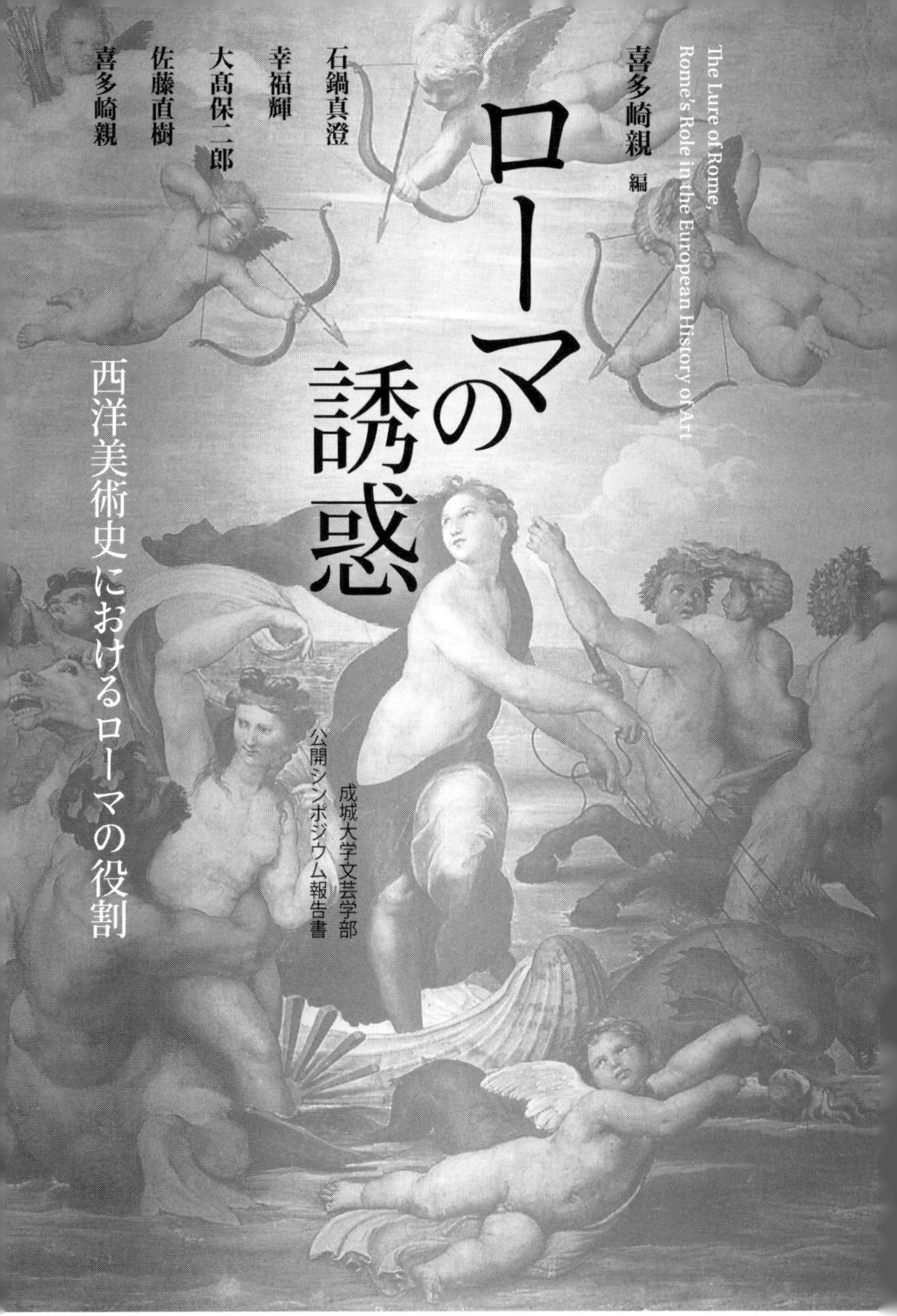

The Lure of Rome,
Rome's Role in the European History of Art

喜多崎親 編

ローマの誘惑

西洋美術史におけるローマの役割

成城大学文芸学部
公開シンポジウム報告書

石鍋真澄
幸福輝
大髙保二郎
佐藤直樹
喜多崎親

三元社

目次　ローマの誘惑——西洋美術史におけるローマの役割

まえがき

古代には帝国の首都として、中世以降は教皇の都として、ローマはヨーロッパ文化の中心であり続けました。とりわけ、ルネサンスからバロックにかけて、多くの優れた画家や彫刻家、建築家が活躍し、「永遠の都」はまさしく「美術の都」となりました。

しかし、十七世紀後半以降、次第にフランスをはじめとする強大な統一国家が、政治的にも経済的にも、そして文化的にも台頭し、それらの首都の重要性が増していきます。そのため、ローマは文化的な首位の座から転落していったように見えます。ですがそれでもなお、フランスを初めとする各国のアカデミーは美術家たちにローマで学ぶことを求め、その経験は美術家たちのステイタスだったのです。

このシンポジウムは、イタリア美術史の専門家とフランドル、スペイン、ドイツ、フランスなど各国の美術史の専門家によって、近世以降の西洋美術史におけるローマの役割とその重要性について、内と外から検討を加えようとする試みです。

シンポジウム「ローマの誘惑――西洋美術史におけるローマの役割」概要

日時　二〇一九年十二月十四日（土）十三時三〇分～十七時三〇分

会場　成城大学 七号館〇〇七教室

主催　成城大学文芸学部

発表者（講演順、所属は講演時）

石鍋真澄（成城大学教授、イタリア美術史）

幸福輝（成城大学大学院非常勤講師、オランダ・フランドル美術史）

大髙保二郎（早稲田大学名誉教授、スペイン美術史）

佐藤直樹（東京藝術大学准教授、ドイツ美術史）

喜多崎親（成城大学教授、十九世紀フランス美術史）

ローマの誘惑

——西洋美術史におけるローマの役割

ローマから見たイタリア美術、そしてヨーロッパ美術

石鍋 真澄

ただいまご紹介いただきました石鍋です。

今日おいでいただいた大高さん、幸福さん、佐藤さん、そして喜多崎さんの皆さんとは、長い間親しくお付き合いさせていただいてきました。その親しい友人・同僚とこうしたシンポジウムができるのは、たいへん素晴らしいことだと思っております。

シンポジウムのイントロダクションとして、私は二つのことをお話ししたいと思います。

第一は、ローマとはどのような都市か、ということです。「永遠の都」と「教皇の都市」をキーワードとして、歴史の現実をお話ししたいと思います。

そして第二に、シンポジウムのテーマである西洋美術史におけるローマの役割についてです。ローマにおける美術の三つの「黄金時代」を軸にお話しするつもりです。

1 ローマとはどのような都市か、「永遠の都」ローマと「教皇の都市」ローマの実相

ヨーロッパの数多い都市の中でも、ローマが特別で、特権的な都市であることは言うまでもありません。古代文明の地ローマは、古代の大帝国が滅亡した後も、カトリック教会の首都となり、ヨーロッパ文化の中心であり続けました。さらに、ルネサンス以降、「芸術の聖地」ともなったのです。

しかし、歴史の現実は、われわれが漠然と思い描くようなものではありませんでした。

古代から現代にいたる、ローマの人口の推移と見てくださいい【図1】。古代の最盛期には一〇〇万から一五〇万に達したといわれるローマは、コンスタンティノープル遷都と西ローマ帝国の滅亡によって、人口が激減しました。さらに、度重なる蛮族の略奪によって、いっそう衰微してしまいました。最も落ち込んだグイスカルド率いるヴァンダルの略奪（一〇八四年五月）後には、一万五〇〇〇ほどになったといわれます。ミケランジェロのローマの人口は五万五〇〇〇ほど、ベルニーニのローマは一〇万余り、イタリアが統一され

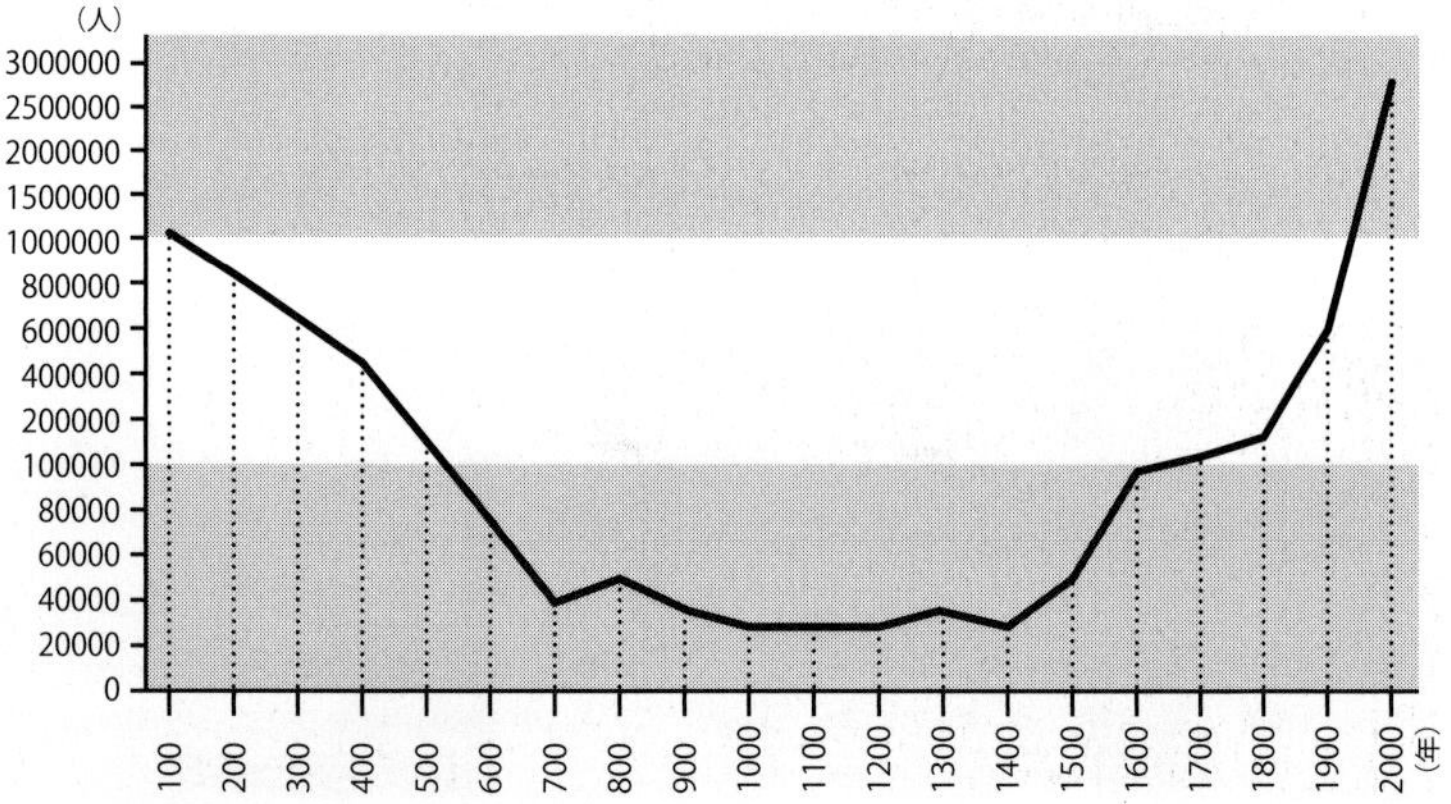

1　ローマの人口の推移
（縦軸が人口、横軸が年代。人口の単位は調整されている。Delpirou による）

てイタリア王国の首都になった時でさえ、二〇万数万の人口しかなかったのです。これが、「永遠の都」ローマの歴史の現実でした。

　こうした事実は、ローマの地図を見ても確認できます。ローマは最も多くの地図が制作され、ガイドブックが書かれた都市でした。私は長い間、ローマの地図やガイドブックに魅了されてきました。大判の版画を何枚も組み合わせたテンペスタやファルダ、あるいはノッリの地図を見れば、誰だって感動すると思います。

　このブノワの地図【図2】には、一八六九年という年紀が入っています。つまり、一八七〇年九月二〇日、ローマがイタリア王国軍に占領される前の年、「教皇のローマ」最後の年の地図というわけです。ご覧になれば分かる通り、古代の城壁に囲まれたローマで、アビタート、つまり人が住んでいたところは全体の三分の一ほどです。あとは貴族や高位聖職者のオリーヴ畑や庭園であり、

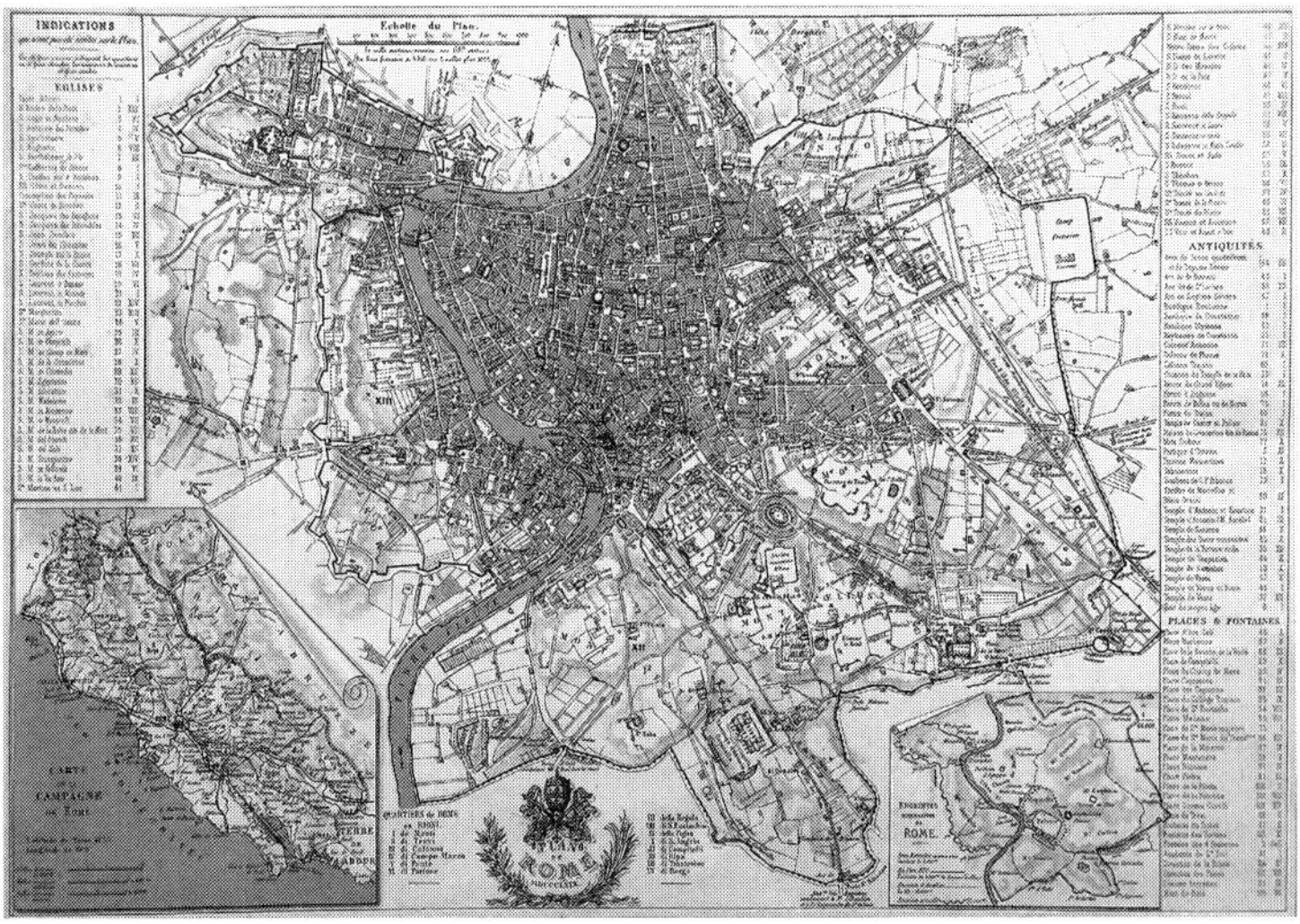

2　フェリックス・ブノワ「ローマ地図」1869 年
（教皇国家最後の年の地図）

修道院の菜園などでした。そしてそのあちこちに古代の遺跡や古い聖堂がちりばめられていたのです。

そんなローマを伝える古い写真をいくつかご覧いただきましょう【図3、4】。

「永遠の都」のイメージとは裏腹に、歴史の現実はこのようなものでした。ローマは「永遠の都市」というより、破壊と再生が繰り返されてきた「再生の都市」といった方がいいと、私は思います。

3

4

3　19世紀ローマの写真（トラヤヌス帝の記念柱）
4　19世紀ローマの写真（コンスタンティヌスの凱旋門とコロッセオ）

「教皇の都市」ローマの歴史はどうだったのでしょうか。ここでも歴史の現実は、皆さんが漠然と思い描くようなものではありませんでした。

この地図【図5】を見てください。これは、ある学者が中世末（十三世紀）に教皇がどこにいたか、を調べたデータをもとに作成された地図です。この間に教皇がローマにいたのは四〇％程度でした。この期間に教皇の座についた十八人のうち六人の教皇はローマに足を踏み入れることさえできません

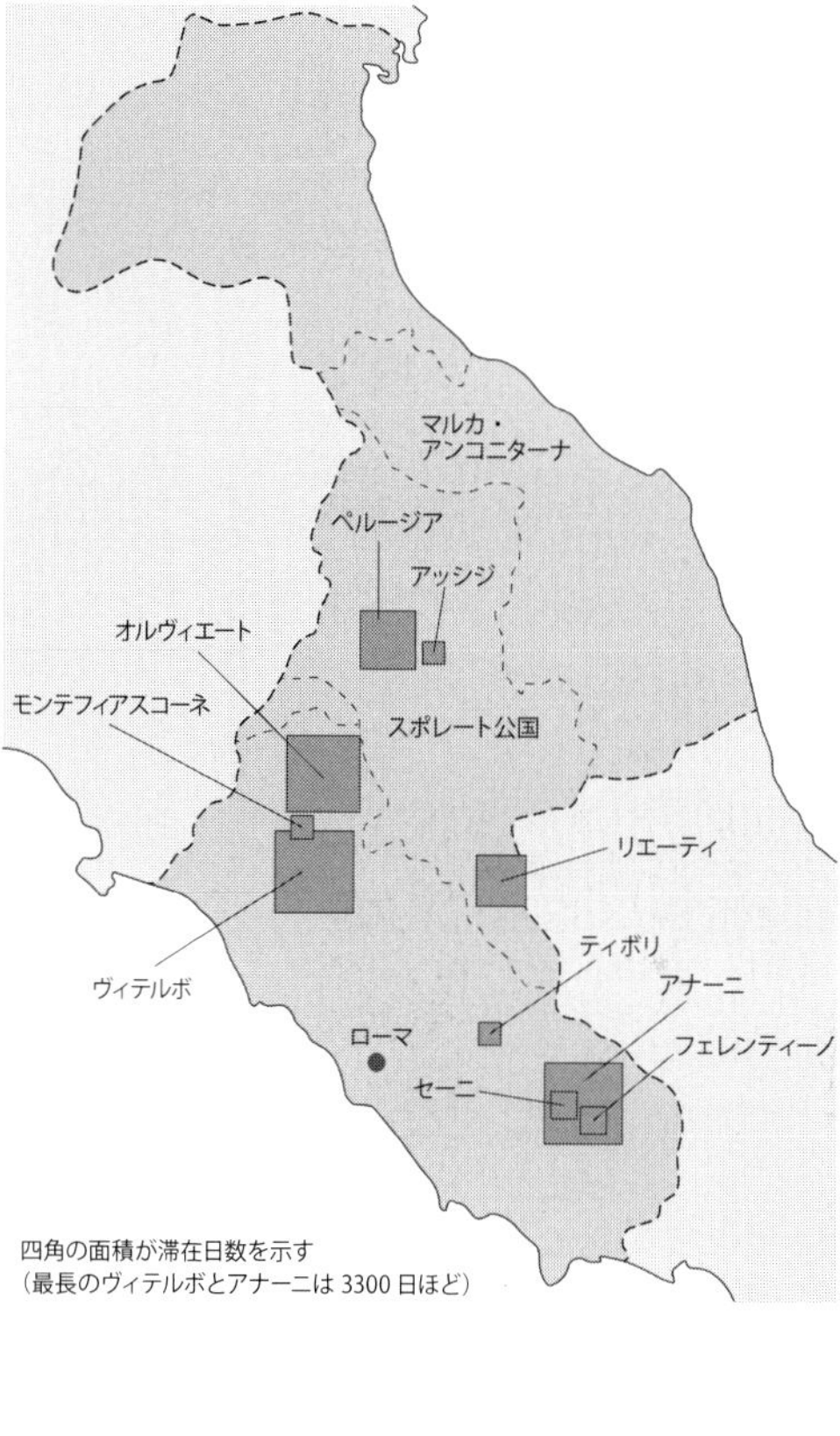

5　中世末の教皇庁の所在地
（13 世紀の教皇がいた都市。Delpirou による）

でした。

どういうことでしょうか。ローマにはバローネと呼ばれる有力家系が割拠していました。彼らはたいていラツィオ、つまりローマ周辺に領土を持つ封建領主の家系で、私兵を従えて、独自の司法権を持ち、それぞれに小宮廷を営んでいました。最も有力だったのはコロンナ家とオルシーニ家ですが、当時の人々は彼らを一つの国家と捉えていたといわれています。中世には、バローネ家系は少なからぬ教皇を出し、ローマの政治や行政にもさまざまな形で関与しました。したがって、よそ者であった教皇にとって、バローネ家系が割拠するローマを掌握することは容易ではありませんでした。

そうして、有名なアナーニ事件（一三〇三年）に続く「アヴィニョン捕囚」（一三〇九〜七七年）、さらに大シスマ（教会の大分裂、一三七八〜一四一七年）の間、一世紀以上にわたって、フランス人教皇がフランスに滞在する、あるいは教皇が二人、ないしは三人いる、といった異常な状況が続きました。その間に、教皇のいないローマは衰微し、荒廃してしまいました。当時の歴史家（パレティーナ）は、「とてもローマとは思えないほど荒れ果てていた。家は廃屋となり、教会は崩れ、田園は見捨てられ、そして町は泥だらけだ。貧困がすべてを覆っていた」、と記しています。「かつて世界の中心だったローマは、いまや単なる名前と伝説に過ぎない」。これが十五世紀、ルネサンスの世紀を迎えるローマの姿でした。

一世紀の荒廃の時代を経て、コロンナ家出身の教皇マルティヌス五世がローマに戻ったのは一四二〇年のことでした。この時、新たな「教皇の都市」ローマの歴史が始まったのです。

しかし、次の教皇、ヴェネツィア出身のエウゲニウス四世はコロンナ家と折り合いが悪くなり、フィレンツェに教皇庁を移さざるを得ませんでした（修道士の恰好でローマを逃れたと伝えられています）。エウゲニウス四世はメディチ家のサポートを受けて九年間もフィレンツェに滞在しました。つまり、教皇庁が九年間もフィレンツェにあったのです【図6】。

　こんな具合に、一般に流布している「教皇の都市」ローマのイメージは、歴史の現実には合致しません。ルネサンスの教皇たちは、さまざまな問題に立ち向かわなければなりませんでしたが、バローネ家系の影響を排除して、ローマを完全に掌握し、ローマを本当の意味での「教皇の都市」にするのが最大の課題の一つだったのです。

　結論的にいいますと、ローマが本当の意味で「教皇の都市」になったのは十六世紀の末になってからだといわれています。アヴィニョン捕囚と教会大シスマを経て、教皇マルティヌス五世がローマに戻ってから、一世紀半以上かかったというわけです。この一世紀半の間に、ミケランジェロとラファエッロに代表される盛期ルネサンス美術の繁栄があり、サッコ・ディ・ローマという大惨事がありました。サッコ・ディ・ローマ、ローマ略奪という

6　《エウゲニウス4世像》1871-87年、フィレンツェ大聖堂
（教皇は大聖堂の献堂式をした）

のは、一四九四年から一五五九年まで六五年間続いたスペインとフランスの覇権争い、いわゆるイタリア戦争の一エピソードです。一五二七年に神聖ローマ皇帝カール五世軍が、フランスと結ぼうとした教皇のローマを占領し、多くの聖職者や市民を殺害して略奪をほしいままにした事件です。ローマは九カ月間にもわたるドイツ兵やスペイン兵などの傍若無人なふるまいによって壊滅的な被害を受けました。さらに、よく知られている、ルターに端を発する宗教改革の嵐もありました。こうした未曾有の艱難を乗り越えて、ローマは十六世紀の末に、真の意味での「教皇の都市」となりました。そのローマがバロック美術を生み出したのです。

バロック美術については後半で詳しく話しますが、その前に、ローマという都市を理解する上で欠くことができない、教皇という存在に関して、二つのことを確認しておきたいと思います。

まず一つは、教皇は「パストール・エ・プリンチペ」(司牧者と君主)であったということです。八世紀のピピンの寄進以来、教皇は中部イタリアを広く覆う教会国家の元首でもありました。その内実は時代によって大きく異なるのですが、教会国家は一八七〇年のヴィットーリオ・エマヌーエレ二世によるイタリア統一まで続きました。

今年(二〇一九年)の十一月の末に現在の教皇フランシスコが来日して話題となりましたが、第二次世界大戦後は、「教皇の黄金時代」だと私は思います(三人の教皇が聖人に列せられているのが何よりの証拠です)。カトリック教会やキリスト教の黄金時代とはとても言えませんが。教皇は世界中の国々を訪問し、ラジオやテレビからインターネットやSNSにいたるメディアでメッセージを発して、大きな人気と影響力を発揮しているからです。しかし、ルネサンスの教皇は信者に説教をしたり、教書を出したり、メッセージを発したりはしませんでした。たとえば、ミケランジェロとラファエッロのパトロンとして有名なユリウス二世とレオ一〇世は、教皇として一度もミサを上げなかったといわれています。ようするに、教皇はカトリック教会という巨大な組織の長だったのです。

教皇に関して知っておいていただきたいもう一つの点は、教皇の選挙についてです。

中世のある時期から、教皇は枢機卿たちの互選で選ばれるようになりました。一般に「コンクラーヴェ」という名称で知られた制度です。この制度が現在まで続いていることは、皆様よくご存じのことと思います。枢機卿は教皇の選挙人であるとともに、自分が選ばれるかもしれない「皇太子」でもあります。枢機卿はコロンナ家やオルシーニ家などローマの名家の者や、スフォルツァ家やメディチ家などのイタリア各地の君主の子弟、あるいはフランス王やスペイン王などが推薦する者、神学者や説教師として名声を得た者、そして教皇庁の官僚として評価された者など、さまざまな背景を持った人たちでした。

コンクラーヴェで一番特徴的なのは、参加した枢機卿の誰かが三分の二の票をとるまで何度でも選挙が行われる、という決まりです。三分の二というのはひじょうに高い壁です。今日一般的な過半数を取る者がなかった時には、上位二者の決選投票をする、といった制度とは根本的に異なるものなのです。ですから、コンクラーヴェでは本命ではない枢機卿が、妥協の産物として選ばれることがしばしばありました。もしこうした制度でなかったなら、あのような多彩な人材が教皇の座につくことはなかったのではないかと、私は思います。

2　美術史におけるローマの役割、ローマ美術の三つの黄金時代

前半では、「永遠の都」ローマ、そして「教皇の都市」ローマの実相、歴史的な現実についてごく簡単にお話ししました。これから、そのローマが美術史においてどのような役割を果たしたのか、についてお話ししたいと思います。といっても古代から話すわけではありません。主にルネサンスとバロック、近世のローマを中心にお話しします。

「教皇の都市」ローマには三つの黄金時代があった、と私は思います。

第一の黄金時代は、十三世紀後半、教皇庁がアヴィニョンに移される前の時代です。この時、ピエトロ・カヴァッリーニやヤコポ・トリーティといったローマ派といわれる画家たちが多くの聖堂に壁画やモザイクを制作しました。それから、フィレンツェからチマブーエやジョットがやってきてローマで制作に当たりました【図7、8】。

けれども、この時代の作品は、先ほどお話ししたサッコ・ディ・ローマによって破壊され、その後に続いたバロックの怒涛のごとき都市建設によって、その多くが失われました。ローマ美術の第一の黄金時代は、「失われた中世」になってしまったのです。皆さんがイタリアを旅行すれば、フィレンツェやシエナなど多くのイタリア都市には中世の祭壇画や壁画がたくさんあるのに、ローマにはほとんどないことに気づくと思います。それは、サッコ・ディ・ローマとフランス人の歴史家ヴィグールのいう「ウラガーノ・バロッコ」（バロックの嵐、怒涛の都市建設）による破壊のせいなのです。

「失われた中世」の話も面白いのですが、話を先に進めたいと思います。

先ほどお話しした通り、アヴィニョン捕囚からマルティヌス五世紀の帰還までの一世紀以上の間に、ローマは荒廃しました。ローマはここからの再生の道を歩んだわけですが、その推進者となったのは、ローマ市民から見ればよそ者の教皇たちであり、彼らが招いたよそ者の美術家たちでした。フラ・アンジェリコ、ドナテッロ、ポライウォーロ兄弟、ペルジーノなど、主にフィレンツェの美術家たちです【図9】。十五世紀、初期ルネサンスの世紀は「フィレンツェの世紀」でしたから、それは当然で

7

8

7　ピエトロ・カヴァッリーニ《聖母の誕生》1291年、モザイク、サンタ・マリア・イン・トラステヴェレ聖堂（ローマ）

8　ピエトロ・カヴァッリーニ（？）《聖母子と洗礼者ヨハネ》13世紀末、壁、フレスコ、サンタ・マリア・ダラチェーリ聖堂（新しく発見されたアラチェーリ聖堂の壁画断片）

した。そしてミケランジェロが《ピエタ》を制作したのは、一四九九年のことでした。マルティヌス五世がローマに戻ってから半世紀以上経て、ローマは輝き始めたのです。

ローマ美術の第二の黄金時代、ルネサンスの黄金時代の主役は、教皇ユリウス二世とレオ一〇世、美術家ではミケランジェロとラファエッロでした。システィーナ礼拝堂の天井画やラファエッロの署名の間、そしてブラマンテによる新しいサン・ピエトロ大聖堂がこの第二の黄金時代の不滅の金字塔です。

ユリウス二世がこの黄金時代の中心人物ですが、美術のパトロンとして彼がどのような役割を果たしたのかを知るために、テンペスタの地図と一六〇〇年頃のサン・ピエトロ大聖堂の復元図を見ていただきましょう【図10、11】。ご覧の通り、サン・ピエトロ大聖堂は造りかけで、四世紀のコンスタンティヌス帝が建てた旧聖堂の一部が残っています。それにしても、ユリウス二世とブラマンテが建造

9　フラ・アンジェリコ《ラウレンティウスの聖職叙任》
1447-51年、壁、フレスコ、271×197cm、
ニコラス5世礼拝堂（ヴァチカン美術館）

した分厚い壁と支柱、そして大クーポラは圧倒的です。私はここに、ユリウス二世の野心が見て取れるように思います。ユリウス二世は古代を復興しようとしたというより、古代に対抗し凌駕しようと考えていたのではないかと思えてきます。実際、ユリウス二世は美術のスケールをすっかり変えてしまいました。これ以降のローマでは、このスケールで聖堂が建設され、彫刻や絵画が制作されていきました。ジェズ聖堂やサンティニャーツィオ聖堂をはじめとするローマ・バロックの聖堂を訪ねれば、

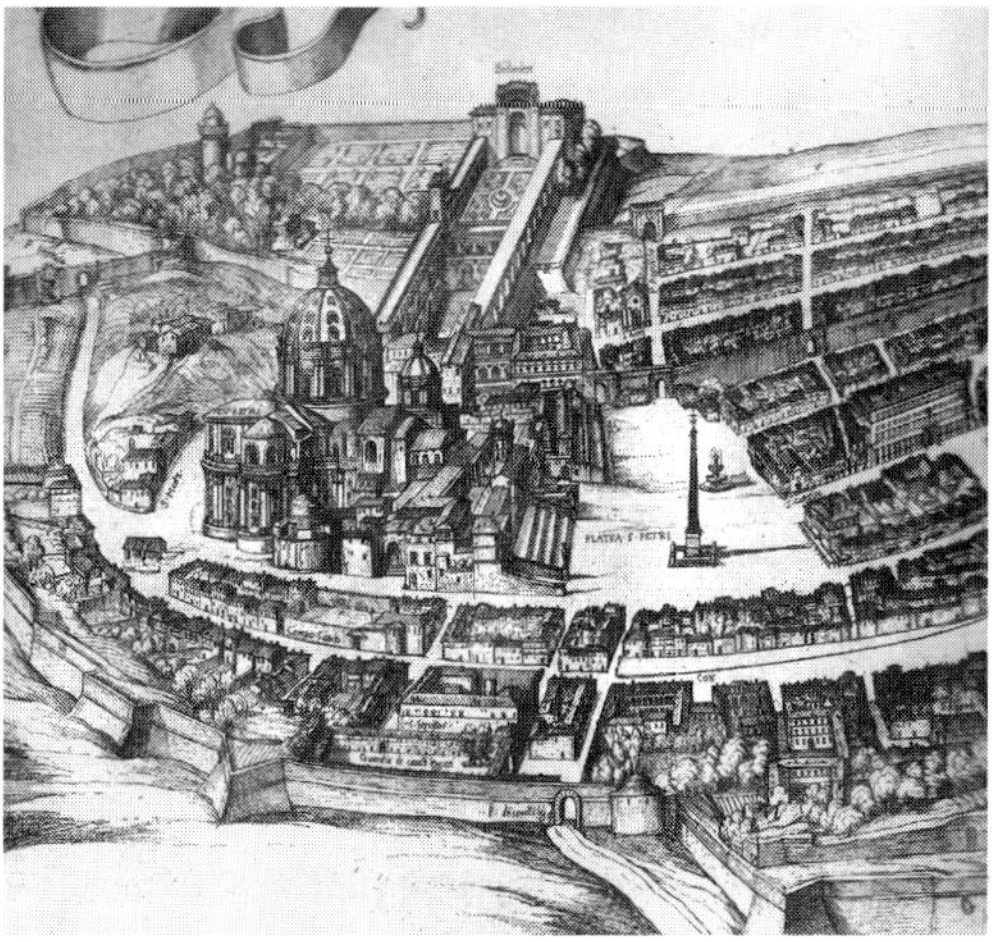
10

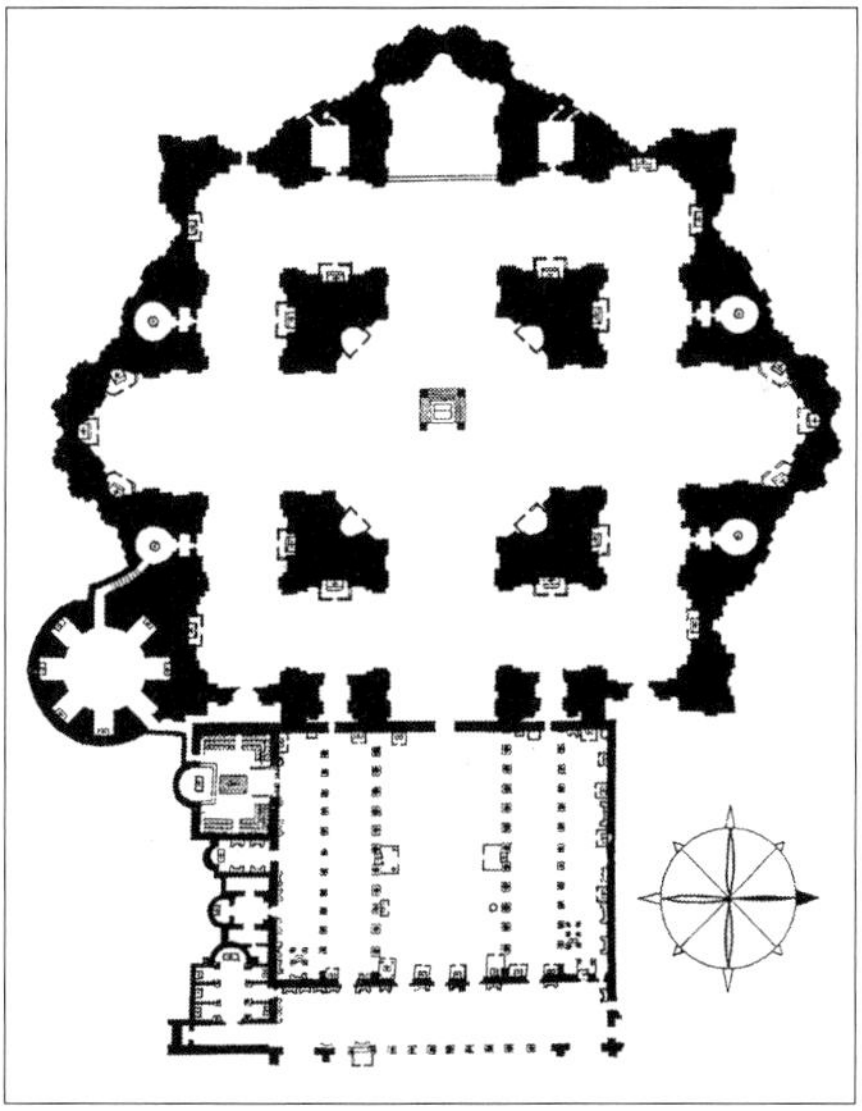
11

10　テンペスタ「ローマ地図」（16世紀末のサン・ピエトロ大聖堂の部分）
11　1600年頃のサン・ピエトロ大聖堂、平面図（ルイーズ・ライスによる復元図）

12

13

12　サン・ピエトロ大聖堂　内部
13　サンタンドレア・デッラ・ヴァッレ聖堂　内部

その圧倒的なスケールに強い印象を受けるでしょう【図12、13】。

　また、システィーナ礼拝堂はユリウス二世の叔父だったシクストゥス四世が建てたものですが、ミケランジェロの天井画によって、聖堂の天井というものの意味が一変してしまいました。これ以降のローマ・バロック聖堂や宮殿の「天井の劇場」はここから始まったのです。ここでも壮大なスケールが印象的です【図14、15】。

　メディチ教皇レオ一〇世の寵児となったラファエッロについても触れておきましょう。ご承知の通り、ラファエッロはこの後のヨーロッパ絵画の守護聖人、最高のアイドルとなるわけですが、《ガラテアの勝利》や最晩年の《キリストの変容》などを見ると、この後のヨーロッパ絵画の展開のすべてが予見されているようにさえ見えます。

14

15

14　ミケランジェロ《システィーナ礼拝堂天井画》1508-12年、ヴァチカン美術館（ローマ）
15　ジャン・バッティスタ・ガウリ《イエスの聖名の栄光》1674-79年頃、ジェズ聖堂（ローマ）

たとえば、プッサンやカラヴァッジョと比較してみれば、そうした思いを深くします【図16〜19】。

さらにラファエッロは新しい版画というメディアの時代を開き、プロジェクト・チームによる制作という、新しいビジネスモデルを作りました。ラファエッロは自分やミケランジェロなどの作品の複製版画や自分の下絵に基づくオリジナルの版画作品を広めるというビジネスを展開しまし

16

17

16　ラファエッロ《ガラテアの勝利》1512年、壁、フレスコ、295 × 225cm、ヴィッラ・ファルネジーナ（ローマ）
17　プッサン《ネプチューンとアンフィトリテの勝利》1634-35年、カンヴァス、油彩、114.5 × 146.6cm、フィラデルフィア美術館

18

19

18 ラファエッロ《キリストの変容》（部分）1516-20 年、板、油彩、405 × 278cm、ヴァチカン絵画館（ローマ）

19 カラヴァッジョ《エマオの晩餐》1601 年、カンヴァス、油彩、141 × 196cm、ナショナル・ギャラリー（ロンドン）

た。さらに、たとえばヴィッラ・ファルネジーナやヴァチカンのロッジャのさまざまな植物を使ったフェストーネ（花綱）は、ジョヴァンニ・ダ・ウディネというスペシャリストによって描かれましたが、その才能を育てたのはラファエッロに他なりません【図20】。ラファエッロは単なる「聖母子の画家」やアカデミックな画家などではないのです。

このようなミケランジェロとラファエッロは、近代的な意味でのアーティストの原型を遺産として残しました。彼らの生涯と作品が、ヨーロッパ近代の芸術文化の基礎となったのです。この点はいくら強調しても強調しすぎることはないと思います。

少し歴史的な話に戻りますが、ルネサンスの教皇はローマと教皇国家の支配を強めようと努力しました。つまり、「パストール・エ・プリンチペ」のプリンチペ、君主の性格を強めたのです。言葉を換えれば、教皇が世俗性を強めたということですが、その代表が「パーパ・グエッリエーロ（戦士教皇）」といわれたユリウス二世です【図21】。ユリウス二世は、自ら鎧を着て戦場に行くといったことまでしました。この世俗性がルターの宗教改革の引き金となったといわれます。ユリウス二世は当時

20　ジョヴァンニ・ダ・ウディネ《フェストーネ》
1517-19 年
（ヴィッラ・ファルネジーナの壁画の部分）

のドイツの版画では、俗物として天国のペテロに叱責されています【図22】。そして、ユリウス二世の三代後の、メディチ家出身のクレメンス七世の時代に、フランスとスペインの覇権争い、いわゆるイタリア戦争（一四九四～一五五九年）に巻き込まれて、ローマはサッコ・ディ・ローマ（ローマ略奪、一五二七年）という大惨事を招いてしまいました。サッコ・ディ・ローマは、多くの建物や美術作品を破壊しました。そして、ローマの人口は激減しましたけれども、サッコ・ディ・ローマの結果、ローマで活躍していた美術家たちが別の都市に行って活躍する、という「ディアスポラ」（離散）現象も起こりました。他の都市や国にとっては、

21　ラファエッロ《ユリウス 2 世の肖像》1511 年、板、油彩、108 × 80.7cm、ナショナル・ギャラリー（ロンドン）
22　『追放されるペテロ』挿絵、1523 年
（作者はエラスムスといわれる。私はフランス人をイタリアから追い出しました、とユリウス 2 世がいうと、ペテロは、それは君主の仕事だという）

サッコ・ディ・ローマは恩恵をもたらした面もあったのです。たとえば、ヴェネツィアの現在のサン・マルコ広場の形と景観を決定したのは、ヤコポ・サンソヴィーノというフィレンツェの建築家・彫刻家ですが、彼もサッコ・ディ・ローマのためにヴィネツィアに移り住んだのです。また、フランス・ルネサンスのフォンテーヌブロー派の形成に重要な役割を果たしたのは、ロッソ・フォオレンティーノやベンヴェヌート・チェッリーニといった、サッコ・ディ・ローマでローマを逃れたイタリアの美術家たちでした【図23、24】。

サッコ・ディ・ローマによって激減したローマの人口は、次第に元の成長曲線に戻り、一六〇〇年頃には一〇万を超えるようになりました。十五世紀は「フィレンツェの世紀」でしたが、十六世紀は「ローマの世紀」であり、主に移民によって人口が増え、全体としてローマにとっては成長の世紀でした。ドリュモーという歴史家は、サッコ・ディ・ローマの破壊さえ創造の追い風になった、と言っているほどです。

そうしたローマ再生のプロセスの途中だった、一五三八年から四〇年にかけてローマに修業に行った、ポルトガルの画家フランシスコ・デ・オランダは、「画家であれ、彫刻家であれ、建築家であれ、ローマに旅することなくして優れた作品を制作することはできない」(『古代絵画論』一五四八年)と書いています。フランシスコ・デ・オランダはミケランジェロとの対話を書き残したことで知られていますが、《最後の審判》を制作中のミケランジェロは、イタリアにおいてのみ真の絵画が描かれている、だから、優れた絵画は、たとえそれがフランドルやスペインで制作されたものであっても、「イタリア絵画」と呼ばれる、と語っています。驚くべき発言ですが、巨匠は本気でそう思っていた

23

24

23　ロッソ・フィオレンティーノ「フォンテーヌブロー宮の装飾」1536 年頃
24　ベンヴェヌート・チェッリーニ《フォンテーヌブローのニンフ》1542 年、ブロンズ、205 × 409cm、ルーヴル美術館（パリ）

のだと思います。

ハスケルという美術史家は、「盛期ルネサンス以来、他の国々の美術に対するイタリア美術の完全な優位は、疑問の余地のないものとして、ヨーロッパの他の地域に受け入れられた」と言っています。その結果、イタリアのみならず、ヨーロッパ各国の美術家のローマへのあこがれが広がっていったのです。それは、まさに「ローマの誘惑」でした。

十六世紀末になると、ローマは再び真の創造性を発揮するようになりました。そこで生み出されたのがバロック美術なわけですが、このことはローマが真の意味で「教皇の都市」となったことと深く結びついています。つまり、サッコ・ディ・ローマという大惨事や、ルターによる宗教改革の大波を克服して、ローマは真の意味での「教皇の都市」となり、バロック美術を生み出したのです。


ローマ美術の第三の黄金時代、あえていえば真の黄金時代は、十六世紀の末に始まり、十七世紀中頃まで続きました。

黄金時代の最初のヒーローは、フィレンツェではなく、ミラノからやってきたカラヴァッジョと、ボローニャから来たアンニーバレ・カラッチでした。カラヴァッジョとアンニーバレ・カラッチが活躍していた一六〇〇年のローマは、聖年の巡礼者で溢れかえる活気ある都市でした。対抗宗教改革の危機を乗り越えたカトリック教会は、自信を取り戻していました。長い間強い勢力を誇っていたバローネ家系は没落し、教皇を出した家系は彼らの土地を買い取り、いっそう権力と財力を誇るようになっていきました。ファルネーゼ家、ボルゲーゼ家、バルベリーニ家、パンフィーリ家、キジ家など今でも美術館やパラッツォに名前が残る名家が、バロック美術のパトロンとなったのです。

ローマという都市は美術史の中では奇妙な都市でした。自前の美術家ではなく、よそ者の美術家たちによって優れた美術が生み出された都市だったのです。組合（ギルド）の規制が一般的だった時代に、ローマは例外的にどこの出身の美術家でも自由に活動できました。イタリア各地あるいはヨーロッパ各国の枢機卿や大使は自国の美術家を使い、育てようという意図を持つことが多かったので、パトロンも多様でした。ローマには古代やルネサンスの優れた美術の遺産があっただけでなく、新しい美術が生まれ、優れたパトロンと仕事があったのです。それが「ローマの誘惑」の中身でした。その結果、ローマは各国の伝統が入り混じる「美術のるつぼ」となりました。各地からの注文が集まったローマには多くの仕事がありましたが、集まってきた美術家たちの数も多く、過当競争となり、その競争は激烈でした。

一六〇〇年頃のローマでは、アンニーバレ・カラッチがラファエッロを意識した洗練された様式の壁画を描く一方で、カラヴァッジョが風俗画の延長のような祭壇画を描きました【図25、26】。また、オランダからやって来たパウル・ブリルが風景画を描き、フランクフルトから来たエルスハイマーは銅板に夜の情景を描き、ルーベンスはそれまでにはない人物が生き生きと躍動する祭壇画を描きました【図27、28】。その多様性は、バロックとか古典主義とかいった既成の美術史の様式用語で収まるものではありません。こうしたバロックの先駆者たちに続いて、一五九〇年代生まれの真のバロック美術世代が台頭するに至ります。

一五九〇年代生まれの美術家たちのリストは本当に驚くべきものです。さまざまな傾向の才能あふ

25

26

25　アンニーバレ・カラッチ「ガッレリーアの天井画」1597-1600 年、ファルネーゼ宮（ローマ）
26　カラヴァッジョ《いかさま師》1597 年頃、カンヴァス、油彩、91.5 × 128.2cm、キンベル美術館（テキサス州フォートワース）

れた美術家たちが名を連ねています。この中には、イタリア人以外でも、ヴァランタン・ド・ブーローニュやニコラ・プッサン、クロード・ロランのようにローマに骨を埋めた美術家たちも少なくありません。他の美術家たちもみなローマで活躍し、ローマ・バロック美術の発展に貢献しました。たとえば、ニコラ・プッサンやクロード・ロランは通常の美術史では、フランス画家とされていますが、私は「ローマ画家」と考えるべきだと思います。何しろ、今日知られている作品、ルーヴル美術館に展示されている作品はすべてローマで描かれたものなのですから。われわれにはフランス古典主義の教祖プッサンとローマとは結びつきにくいですが、それは彼が描いた作品がローマにはほとんど残っていないからです。彼の作品の半分ほどはローマにあったのですが、ほとんど売られてしまったから

27　エルスハイマー《エジプトへの逃避》1609年、銅板、油彩、31×41cm、アルテ・ピナコテーク（ミュンヘン）

です【図29】。

カラヴァッジョが革新的な作品を描くと、各国から来た画家たちがたちまちカラヴァッジェスキ、カラヴァッジョ主義者になりました。「国際カラヴァッジョ運動」と呼ばれる流行は、大きな広がりをみせました。ピエトロ・ダ・コルトーナが描いたバルベリーニ宮天井画の大壁画は、コルトーナ様式としてイタリアやヨーロッパ各地で模倣されました。各地からローマにやって来た彫刻家たちは、

28 ルーベンス《ヴァリチェッラの聖母》1608年、スレート（聖母子像は銅板）、油彩、425×250cm、サンタ・マリア・イン・ヴァリチェッラ（キエーザ・ヌオーヴァ）聖堂（ローマ）

ベルニーニのプロジェクト・チームでサン・ピエトロ広場のコロンナート（柱廊）の彫刻などを制作し、その経験を各地に持ち帰りました。「ローマの誘惑」はヨーロッパ近代美術に深く大きな影響をもたらしたのです。

大急ぎでヨーロッパ美術にローマが果たした役割について述べてきましたが、最後に、クロード・ロランの風景画を見ていただきましょう【図30】。こうした理想風景画はイギリスなどヨーロッパ各国に大きな影響を与えました。クロード・ロランは十二歳の時ローマに来て、短期間の帰国を除いてずっとローマで制作し続けました。ローマ周辺の自然をベースにした彼の風景画は、フランス的という以上にローマ的であり、ローマ的という以上にヨーロッパ的だといえます。こうしたクロード・ロランの風景画は、ローマ・バロック美術とは何だったのかをよく表している、

29　プッサン《ディアナとエンデュミオン》1630年頃、カンヴァス、油彩、122×169cm、シカゴ美術館

と私は思います。

どういうことでしょうか。十六世紀末以降、ローマで発達したいわゆるバロック美術は、西洋美術史上初めてヨーロッパ中の美術家が参画して生み出された多様性を秘めた美術でした。だから、古典的なものからバロック的なもの、自然主義的なものからロマン主義的なものさえ含んでおり、それが近代ヨーロッパ美術の母体となったのです。こうした時代の美術を、ルネサンスとバロックといった狭い意味での様式概念で理解することはできない、と私は思います。そのうえ、フランス画家とかイタリア画家といった、近代の国家主義の発想を持ち込むと、美術史の理解がさらに損なわれてしまいます。プッサンをフランス画家としてしか見ないとすると、プッサンの芸術もローマという都市の役割も見えなくなるのです。ローマは近代ヨーロッパ美術の母体

30 クロード･ロラン《トリニタ･デイ･モンティ聖堂と売春の場面》1632年、カンヴァス、油彩、ナショナル・ギャラリー（ロンドン）
（風俗画的な要素のある風景画）

（マトリックス）となりました。その役割と意味を理解しなければ、近代のヨーロッパ美術史は分からない、と私は思います。

　教皇は十七世紀中頃（一六四八年のウェストファリア条約）以降、次第にヨーロッパにおける影響力を失っていきました。各国の王たちは教皇には儀式しか求めなくなったのです。第三の黄金時代の後、ローマは活力と創造性を失っていきました。しかし古代、そしてルネサンスとバロックの黄金時代の栄光と伝統によって、ローマは近代ヨーロッパの「芸術の聖地」となったのです。それについては、私の後の皆さんがお話してくださることと思います。

　大急ぎの話でしたが、私のイントロダクションの話はこの辺で終わりにしたいと思います。ご清聴いただき、ありがとうございました。

■図版出典
石鍋真澄『教皇たちのローマ　ルネサンスとバロックの美術と社会』平凡社、二〇二〇年：図１（143頁）、図５（15頁）
Rice, Louise, *The Altars and Altarpieces of New St. Peter's, Outfitting the Basilica*, 1621-1666, Cambridge, 1997.：図11
石鍋真澄撮影　Photo © Masumi Ishinabe：図12、図13
John Pope-Hennessy, *Cellini, London*, 1985, Plate 69 (p.132).：図24

ふたりのヘンドリック　――ローマのオランダ版画家たち

幸福 輝

はじめに――ロマニズムの時代

一九九五年、ブリュッセルとローマである展覧会が開催された。「ローマのフランドル人たち」と題されたその展覧会【図1】は、十六世紀ネーデルラント地方の多くの重要な画家たちが、イタリア、とりわけ、ローマを訪れ、ルネサンス美術や古代彫刻、古代遺跡を研究した足跡を辿るとともに、この時代が、ルーベンスやレンブラントを擁し、しばしば絵画の黄金時代と称される十七世紀オランダ絵画・フランドル絵画に至る長い序章に過ぎないとするかつての見方はおよそ根拠のない十九世紀的偏見であり、フロ

1　『ローマのフランドル人たち（*Fiamminghi a Roma*）』（展覧会図録）、1995 年

マンタンらによって負の文脈で使われたロマニズム（ローマ主義）は、むしろ、この時代に備わっていたグローバリズムについての肯定的指標であることを明らかにしようとするものだった。

同展には「一五〇八年から一六〇八年まで」という副題が付けられていた。一五〇八年というのは最初のロマニストであるヤン・ホッサールトがローマを訪問した年代であり【図2、3】、母の危篤の報を受けたルーベンスがイタリア滞在からアントウェルペンに帰郷したのが一六〇八年である。八年に及ぶ長いイタリア滞在の総決算として、ルーベンスがローマのサンタ・マリア・イン・ヴァリ

2

3

2　ヤン・ホッサールト《棘を抜く少年と古代装飾彫刻》1508/09 年、ペン、灰褐色インク、26 × 20.2cm、レイデン大学付属版画素描室

3　ヤン・ホッサールト《コロッセウム》1508/09 年、ペン、褐色インク、20.1 × 26.4cm、ベルリン国立版画素描館

チェッラ聖堂のために制作した祭壇画【図4】は、ローマの重要な教会の主祭壇画が異国の新鋭画家の手に委ねられたという意味でルーベンスの傑出した才能を示すものだったが、同時に、百年にわたる多くのロマニストたちの古代研究やイタリア研究の集大成でもあったのである。

従って、同展には十六世紀ネーデルラント美術の概説書には必ず登場する重要な風景画家であるパティニールとか、風俗画の先駆者であるアールツェンなどは出てこない。彼らのような「ネイティヴ」な文化を体現する画家はイタリアには行っていないからである。他方、同展にはスプランゲルとかジャンボローニャなど、通常の十六世紀ネーデルラント美術史には馴染みの薄い芸術家たちが含まれている。スプランゲルは、当初イタリアで、次いで、ルドルフ二世の宮廷画家としてプラハで過ごした。また、ジャンボローニャはその名前の通りあまりにもイタリアに同化してしまい、通常は、ポスト・ミケランジェロのイタリア彫刻を代表する彫刻家として語られる。こうした芸術家は、たしかに、ナショナル・アート・ヒストリー的概説には向かない。自国

4　ルーベンス《ヴァリチェッラの聖母》1608年、
スレート（聖母子像は銅板）、油彩、425×250cm、
サンタ・マリア・イン・ヴァリチェッラ（キエーザ・ヌオーヴァ）聖堂（ローマ）

を離れた理由はそれぞれだが、彼らは異国の地で異文化の文脈で活動したからである。「ブリューゲルの世紀」と「ロマニズム」という異なるベクトルをもつふたつの時代概念が交錯した時代、それが十六世紀ネーデルラントであったと言えるだろう。

このような時代の最終段階で、ヘンドリック・ホルツィウスとヘンドリック・ハウトというふたりのオランダの版画家が相継いでローマを訪れた。一般にロマニストとしてよく引用される画家たちと彼らが異なるのは、彼らが優れた版画家であったことである。デューラーやリューカス・ファン・レイデンの名をもちだすまでもなく、十六世紀北方版画はエングレーヴィングの巨匠を輩出し、彼らの手になる名品はイタリアをも席捲した。版画にあまり重きを置かなかったヴァザーリがその『美術家列伝』の第二版（一五六八年）で、ライモンディの名を冠した版画に関する章を書き加えたことはよく知られている。ヴァザーリに北方版画の卓越性を認識させたことを裏書するような活動をしたのが、オランダ出身の版画家コルネリス・コルトである。ヴァザーリの著作が上梓されたまさに同じ頃、イタリアで複製版画家として活動したコルトはティツィアーノやムツィアーノの絵画を精力的に版画化し、イタリアで大きな名声を獲得した。

当然ながら、ホルツィウスやハウトは自国の先輩であるコルトの版画を知悉していた。版画家である彼らは、イタリアに行く前からコルトの版画を通じて徹底的にイタリア美術の研究をおこなっていたと考えられる。無論、画家や彫刻家も版画を通じて研究しただろう。しかし、画家たちの主たる関心が版画が伝える原作の構図やモティーフにあったのに対し、版画家である彼らの関心は原作だけではなく、その複製である版画そのものにもあったはずである。版画家による版画を通じてのイタリア研究は、だから、より複雑なものにならざるをえなかったと考えるべきだろう。ロマニズムという言葉から連想されるのはイタリア美術への従属であるが、プランタン＝モレトゥスやヒエロニムス・コックの名を出すまでもなく、書籍出版や版画の分野においてネーデルラントは明らかにイタリアを先導する側であった。ホルツィウスやハウトは版画家として自らの技倆を恃みつつ、ロマニズムの時代の芸術家としてイタリア・ルネサンスの成果や古代を学ぼうとしたのである。

ここでは、一六〇〇年前後にローマに滞在したふたりのオランダの版画家を比較しながら、彼らはローマで何を学んだのか、彼らにとってローマはどのような存在だったのかといったことを探ってみよう。

1 ホルツィウスとイタリア

ホルツィウスは一五九〇年から九一年にかけてイタリアを訪問した。彼はイタリアで古代彫刻とラファエッロやミケランジェロの模写素描をおこない、帰国後、それらを版画化した。一六〇四年、友人でもあったカーレル・ファン・マンデルは、ホルツィウスのイタリア滞在について次のように記している。

> ローマは彼の憧憬の地であり、そこで彼は何か月にもわたってずっと誰とも交際せず、北ドイツの農民のなりをし、ヘンドリック・ファン・ブラハトと名乗って誰にも素性が知られることはなかった……一介の徒弟たちと同じように、最高級のもっとも重要な古代像をわき目

もふらず一生懸命に模写した……かの地（ローマ）での滞在がこれほど短期間でしかも条件に恵まれない時期であったにもかかわらず、あれほど数多く有益な仕事の成果を携えてきた者はそれまでのネーデルラント人の中にはいなかったのではあるまいか。

『カーレル・ファン・マンデル「北方画家列伝」注解』（中央公論美術出版、二〇一四年）

彼のローマ滞在に関連する作品としては、《ファルネーゼのヘラクレス》と《ガラテアの勝利》が最もよく知られている。前者に関してはローマで実物を前に写生された二点の素描が残されている。黒チョークで制作された第一ヴァージョン【図5】に続き、さらに細かい陰影をも描き込んだ赤チョークの素描【図6】が制作されており、ホルツィウスが版画を制作することを意図してこの古代彫刻と向き合ったことが理解される。事実、帰国後の一五九二年に版画【図7】が制作され、それはホルツィウスの代表的版画作品となった。《ヘラクレス》とは異なり、ラファエッロの《ガラテアの勝利》に関してはホルツィウスの下絵素描は残っていない。しかし、同じく一五九二年に制作された版画【図8】には「ローマのヴィッラ・ファルネジーナにラファエッロが描いた壁画を、ホルツィウス自身がスケッチしたものを下絵としている」ことが下部の銘文に記されている。

古代彫刻とラファエッロの複製版画化は典型的なロマニスト的行動であり、ホルツィウスは一般には「親イタリア派」の芸術家と見なされている。しかし、彼の作品をイタリア旅行の前後で丁寧に見ていくと、必ずしもその評価は正しくないように思われてくる。第一に、ムツィアーノからコルトの後継者になるように誘われたが、ホルツィウスはこの申し出を断ったという有名な逸話をバリアーノ

6

5

7

5　ホルツィウス《ファルネーゼのヘラクレス》1591年、青地の紙、黒チョーク、36 × 21cm、テイラー博物館（ハールレム）

6　ホルツィウス《ファルネーゼのヘラクレス》1591年、赤チョーク、39 × 21.5cm、テイラー博物館（ハールレム）

7　ホルツィウス《ファルネーゼのヘラクレス》1592年頃、エングレーヴィング、41.8 × 30.1cm

が伝えている（バリアーノについては本稿最終部を参照）。イタリアでの制作活動を断ったのにはさまざまな理由があったと思われ、そのことだけで「親イタリア派」を否定することはできない。しかし、帰国後のホルツィウスの創作活動は、決してこの版画家がイタリア美術の信奉者ではなかったことを示唆する。古代彫刻をもとにした版画は数点しか制作されず、また、当初の計画にあったと思われるローマの重要作品の版画化計画も頓挫したようだ。ホルツィウスはローマの画家ガスパーレ・

8　ホルツィウス《ガラテアの勝利》（ラファエッロによる）1592年、エングレーヴィング、52.2 × 41cm

チェリオを雇い、当時、ローマにあった多くの作品の模写素描を制作させた。チェリオの素描アルバムは失われてしまったためその全貌を知ることはできないが、相当数の素描が制作されたことは間違いない。ところが、チェリオの素描に基づいてホルツィウスが版画化したのは、ラファエッロの《預言者イザヤ》【図9】だけなのである。

イタリア帰国後のホルツィウスが繰り返し取りあげた主題に「ケレスとバッカスがいないとウェヌスは凍える」がある。この主題をもつ作品ではどれも超絶技巧的表現が誇らしげに提示され、意識的に「北方的伝統」が強調されている。フィラデルフィア作品【図10】は、帰国後のそのようなホルツィウスの関心と表現の特質とをよく伝える作例である。

「ケレスとバッカスがいなければウェヌスは凍える」は古代ローマの劇作家テレンティウスの喜劇『宦官』に由来する主題である。飲食を楽しみ、人生を謳歌しようという主題だが、逆説的に、欲望

9　ホルツィウス《預言者イザヤ》（ラファエッロによる）
1592年、エングレーヴィング、31.1×19.2cm

の節度ある抑制を教える主題でもあった。ただし、闇に沈んだ人物たちが炎に照らされるこの作品においては、濃厚な官能性がモラルを吹き飛ばしてしまうようだ。青灰色の着彩カンヴァスにペンと褐色インクで入念に素描をおこない、そこに肌色と赤の油絵具を施したこの「ペン画」は、明らかに絵画と素描の中間領域での表現の可能性を試みたものであった。ホルツィウスのこのような試みは何点かの同主題作品で繰り返された。詳細は省くが、ここでは紙に黒チョークと油絵具で描かれた作品【図11】と二メートルを超える縦長のカンヴァスに褐色インクと赤チョークで制作された作品【図12】の二点を挙げておこう。ホルツィウスはこうした「擬似絵画的作品」において、伝統的な絵画とは異なる新たな表現の可能性を探求したのである。そして、このような作品は決してイタリア美術との邂逅か

10　ホルツィウス《ケレスとバッカスがいないとウェヌスは凍える》
1599-1602年、青灰色の着彩カンヴァス、ペン、褐色インク、油彩、
105×80cm、フィラデルフィア美術館

ら生まれたものではなく、むしろ、イタリア旅行前の北方的伝統に立ち帰るものであった。

　イタリアからの帰国後、ほどなくして制作されたもうひとつ別な《ケレスとバッカスがいなければウェヌスは凍える》がそのことを教えてくれる。羊皮紙を使って描かれたこの素描【図13】は、明らかに一五八〇年代に何点か制作されたこの画家の素描、例えば、《メルクリウス》【図14】の延長上にあるものである。一五八〇年代、すなわち、イタリアを訪れる前に制作されたこのような素描は、版画を意図的に真似た表現ゆえに「エングレーヴィング様式」と呼ばれている。素描による版画の擬態という特異な表現の制作意図はよくわからない。しかし、それが素描と版画との中間領域の表現をめざしたものであることは明らかで、このようなメディア横断的表現がフィラデルフィア作品の源流になったのである。それはイタリアの古典主義的美術とは相容れぬものであり、このような作品がイタリア旅行とは無関係

12

11

11　ホルツィウス《ケレスとバッカスがいないとウェヌスは凍える》1599年、黒チョーク、ペン、黒インク、油彩、42.8×31.9cm、大英博物館（ロンドン）
12　ホルツィウス《ケレスとバッカスがいないとウェヌスは凍える》1606年（?）、オフホワイト色の着彩カンヴァス、ペン、褐色インク、赤チョーク、219×163cm、エルミタージュ美術館（サンクトペテルブルク）

にその前後に制作されていることは、ホルツィウスとイタリアとの関係を考察する上できわめて示唆的な事実であると言えよう。

　ホルツィウスにとってイタリアは変わらぬ理想であり規範であったが、それは彼の芸術を根底から変えてしまうものではなかった。イタリア訪問以前からすでにさまざまな形でイタリア美術を学んでいたからかもしれないし、すでに自分の芸術の基盤が確立されており、イタリア旅行は外的刺激にとどまったからなのかもしれない。ホルツィウスがイタリア絵画や古代彫刻に関心を失ったというのではない。帰国後の一五九〇年代前半に制作され、この版画家の代表作とされる六点から構成される「聖母の生涯」は、一点ごとに意図的に様式を変化させ、過去の版画の巨匠たちを賞揚した特異な連作である。例えば、ある作品はデューラー風であり、他のものはリューカス・ファン・レイデンといった具合である。しかし、これらの北方版画の巨匠と並び、同連作ではパルミジャニーノやフェデリコ・バロッチなどのイタリア版

13

14

13　ホルツィウス《ケレスとバッカスがいないとウェヌスは凍える》1593年、羊皮紙、ペン、黒褐色インク、61.3 × 49.5cm、大英博物館（ロンドン）

14　ホルツィウス《メルクリウス》1587年、ペン、黒褐色インク、44.4 × 36.5cm、アシュモリアン美術館（オックスフォード）

画の巨匠たちの様式も模倣されている【図15、16】。イタリアは確かにそこにあった。しかし、ホルツィウスをロマニストと呼ぶことには躊躇があるだろう。帰国後のホルツィウスの作品には、イタリアやローマの痕跡を圧倒するような北方性が露わになっていくからである。

2　ハウトとイタリア

ヘンドリック・ハウトはアダム・エルスハイマーの複製版画制作者として知られている。その版画の傑出した表現は早くから注目されてきたが、版画史で重要な位置が与えられてきたとは言えない。彼の作品が複製版画であることから、無意識のうちに「複製版画＝オリジナリティの欠如」という近代主義的陥穽が作用していたのかもしれない。なにより版画家は自分でデザインしなければならないとする近代的芸術観によって、複製版画は芸術的創造性に欠けるものと見なされてきた。そのため、ハウトは長くエルスハイマーの影

16

15

15　ホルツィウス《キリストの割礼》（聖母の生涯より）1594 年、エングレーヴィング、47.6 × 35.2cm
16　ホルツィウス《聖家族と洗礼者ヨハネ》（聖母の生涯より）1593 年、エングレーヴィング、47.6 × 35.2cm

に隠れた存在だったのである。

ハウトは一六〇四年頃ローマを訪れたと思われる（一六一〇年に帰国し、以後ユトレヒトで活動）。ハウトがローマに行くことになった背景やエルスハイマーと知り合った経緯など一切不明である。他方、エルスハイマーについてはある程度のことが知られている。フランクフルトで最初の画業の手ほどきを受けたエルスハイマーはヴェネツィアのロッテンハマーの工房で助手をつとめ、一六〇〇年にローマに到着し、以後、一六一〇年に歿するまでローマを離れることはなかった。現在、フランクフルトに所蔵される《聖十字架祭壇画》【図17】は、おそらくローマの貴顕のために制作されたと思われるこの画家の代表作である。エルスハイマーはローマでルーベンスやパウル・ブリルと親交を結び、彼らを通じてバンベルク出身の著名な医者で植物学者のヨハネス・ファーベルなどの知的エリートたちの庇護も受けた。イタリア美術に同化しつつも、その本質は北方絵画の伝統である緻密な細密描写にあり、エルスハイマーは「ローマで活動した北方風景画家」という位置付けが妥当であろう。その意味で、この画家はヤン・ブリューゲルに比較することができる。彼らは北方の伝統的な風景描写を基礎に置きながら、そこに古代遺跡や古代神話を巧みに取り入れ、新たな風景画の領域を切り開いた。比較的小さな銅板を基底材に用い、精緻な小宇宙を創り出すことでローマのコレクターたちを魅了したエルスハイマーは、イタリア美術や古代に学んだロマニズムの画家というよりは、一六〇〇年頃ローマに集い、イタリアの絵画世界をより豊かにした異国の画家のひとりだった。

その点ではハウトも同じであろう。オランダでは十六世紀後半からビュランの名手が幾人も登場し、オランダ・エングレーヴィングを西洋版画史におけるひとつの頂点に押し上げる。ハウトも間違いな

17　エルスハイマー《聖十字架祭壇画》1603-05 年、銅板（7 点構成で祭壇部分はコピー）、油彩、133.6 × 107 × 13.4cm、シュテーデル美術館（フランクフルト）

くそのひとりだった。同時代のイタリアにこのような技倆をもったエングレーヴィング作家はおらず、デューラーやリューカス・ファン・レイデンに連なる北方の優れたエングレーヴィング作家としてローマに新たな版画の魅力を伝えたのである。

ところが、近年、もっぱらエングレーヴィングとばかり思われてきたハウトの版画作品に、エッチングが併用されていることが明らかになった。ハウトのエッチングの併用については、すでに半世紀前にひとりの優れた版画研究者が指摘していた。そこで取りあげられたのはエルスハイマーに基づく《エジプト逃避》【図18】であり、夜空の暗いグラデーションや森の深い闇の描写にエッチングが施されているとされた（Clifford Ackley, *Printmaking in the Age of Rembrandt*, Boston 1981）。しかし、エッチングが使われたのはこの作品だけであり、例外的にこの作品だけに使われたことが強調されたためか、ハウトのエッチングの併用についてはその後全く議論されないまま放置されてきた。

18　ヘンドリック・ハウト《エジプト逃避》（エルスハイマーによる）
1613年、エングレーヴィング、エッチング、35 × 39.8cm
（エルスハイマーの作品は本書の石鍋論考、図27を参照）

しかし、近年、《エジプト逃避》だけではなく、《洗礼者ヨハネの斬首》、《トビアスと天使》（大版）、《曙光》、《ケレスの嘲笑》など他の作品にもエッチングが使われていることが複数の研究者によって指摘されたのである。

エルスハイマーの作品を見ればすぐに了解されるように、この画家の大半の作品は夜景であり、たとえ、それが日中の場面であっても、森や建物の陰になった薄明かりの光景が好んで取りあげられた【図19】。このような絵画を版画化するにはどうすればいいのだろうか。版画は本来線描の芸術である。エラスムスがデューラーを「黒線のアペレス」と讃えたのはよく知られているが、それは色彩がないにもかかわらず、それを補ってあまりあるデューラーの線描の素晴らしさを讃えたのである。しかし、エルスハイマーの夜景を版画化するためには線の精緻化だけでは不可能で、グラデーションによる「面的表現」が必要だった。おそらく、そこにハウトがエッチングを併用したことの意味があったように思われる。細かなエッチングによって生み出される線とにじみが暗部の表現に一層の深みを与え、グラデーションの効果を生み出したのであろう。

19　エルスハイマー《イル・コンテント》1607年頃、銅板、油彩、30.1×42cm、スコットランド・ナショナル・ギャラリー（エディンバラ）

《エジプト逃避》に年代的に先行する夜景版画が《ケレスの嘲笑》【図20】である。ケレスや老母、少年を照らす明かりも印象的であるが、背後の闇に沈む森林の薄明かりの表現がこの作品の最も魅力的な部分である。おそらく、そこにエッチングが使われたのだろう。これはハウトがローマで制作した作品であり、銘文から当時ローマで最も重要な枢機卿で芸術庇護者でもあったシピオーネ・ボルゲーゼに献じられたことが知られている。現在、パリのクストディア財団にはシルクに刷ったこの版画のヴァージョンが保存されている。ヨハネス・ファーベルやカシアーノ・ダル・ポッツォがこの版画の絹刷りヴァージョンを所有していたことが彼らの財産目録から知られており、絹の光沢とその上で煌めく黒い諧調表現が印象的なこのパリの絹刷り版画が、こうした著名なコレクターに由来するものである可能性も排除できない。

20　ヘンドリック・ハウト《ケレスの嘲笑》（エルスハイマーによる）
1610年、絹刷り、エングレーヴィング、エッチング、31.5×23.5cm、
クストディア財団（パリ）

エッチングはすでに十六世紀のネーデルラントでも使われていた。リューカス・ファン・レイデンは最初にエッチングを使ったオランダの版画家である。十六世紀半ばには、ディルク・フェラールトやヒエロニムス・コックもエッチングを試みている。しかし、ブリューゲルの下絵に基づくドゥテクム兄弟による著名な「大風景版画」【図21】は、エッチングでありながら、「擬似エングレーヴィング」と形容してもいいような正確な線描を特徴としている。十六世紀のネーデルラントのエッチングはエングレーヴィング性の強いものが主流だったのである。そのことを考慮すれば、ハウトにエッチングの新たな可能性を開示したのはネーデルラントではなく、むしろ、イタリアであったのではないだろうか。

エッチングは十六世紀初頭にドイツで考案されたものであるが、実験的なエッチング表現は他のどの国よりも十六世紀のイタリアで探求された。最初のエッチャーとしてパルミジャニーノがよく知ら

21　ヤンおよびリューカス・ドゥテクム《エマオの旅人》（ブリューゲルによる）（大風景版画より）1555年頃、エッチング、エングレーヴィング、32.3×42.3cm

れているが、特に、絵画の複製化でハウトに大きな示唆を与えたのはフェデリコ・バロッチだったように思われる。バロッチは、最初、コルネリス・コルトにエングレーヴィングで自分の絵画を版画化させていた。しかし、コルトの歿後、バロッチは故郷ウルビーノでエッチングを使って自作の版画化を試みた。バロッチによるエッチングはわずか四点しか残っていないが、その代表作が《受胎告知》【図22】である。それまでエングレーヴィングの独壇場だった複製版画をバロッチはエッチングでおこなったのである。そこでは複数回の腐蝕、部分的な腐蝕止め（ストッピング・アウト）などさまざまな技法が駆使されている。《受胎告知》では、暗い室内と奥の小窓から見える明るい戸外の明暗の対比が見事に描き込まれている。おそらく、ハウトはこのような先例に刺激を受け、エッチング固有の陰影効果を利用することで《ケレスの嘲笑》を生み出したのではないだろうか。このようなハウトの夜景版画を出発点とし、やがてセーヘルスやレンブラントを頂点とする「黒い版画」と呼ばれる一群のオランダ・エッチングが生まれるのである【図23、24】。

ハウトの大半の版画が夜景であったことを考慮するなら、ホルツィウスの最

22　フェデリコ・バロッチ《受胎告知》1585年頃、エッチング、エングレーヴィング、44.2×31.7cm

23

24

23　ヘルキュレス・セーヘルス《廃墟となったラインスブルク修道院》1625-30 年頃、黒褐色の紙、エッチング、白黄色インク、20 × 31.8cm、大英博物館（ロンドン）
24　レンブラント《羊飼いの礼拝》1656-57 年頃、エッチング、ドライポイント、エングレーヴィング、14.8 × 19.8cm

後の版画もまた夜景であったことは偶然ではないだろう（コルトやアエギディウス・サーデラーなど十六世紀後半のローマで活動した有力な北方版画家がすべてエングレーヴィングによる夜景版画を残していることにも留意しておきたい）。それは《羊飼いの礼拝》【図25】である。これはティツィアーノの同主題作品に想を得て制作されたとされているが、未完のままに終わった。完成されなかった理由は不明だが、ホルツィウスの慧眼はビュランによる線だけでは満足のいく夜景表現が困難であることを見抜いていたのかもしれない。しかし、才能は才能を呼ぶ。ホルツィウスの歿後に刊行されたこ

25

26

25　ホルツィウス《羊飼いの礼拝》1598-1600年頃、エングレーヴィング、21.4 × 15.3cm
26　レンブラント《イタリア風景の中の聖ヒエロニムス》1653年頃、エッチング、ドライポイント、25.9 × 21cm

の未完の版画は、新たな表現の可能性を切り開いた。一六四〇年代以降、レンブラントは未完成としか思われない版画を多数制作したことで知られるが、彼の《イタリア風景の中の聖ヒエロニムス》【図26】は明らかにホルツィウスの《羊飼いの礼拝》へのオマージュであり、レンブラントは完成と未完成との狭間に新たな版画表現を探求した。ハウトがバロッチのエッチングに刺激されて生み出した見事な夜景表現がセーヘルスやレンブラントの「黒い版画」の先駆となる一方、エングレーヴィングによる夜景表現を断念したホルツィウスの未完成作品は、レンブラントにとって貴重な啓示となったのである。

おわりに――ローマの北方版画家たち

十七世紀ローマの画家で著述家でもあったジョヴァンニ・バリオーネは、一六四二年に『美術家列伝』を刊行した。それは、「ローマ美術案内」とでも言うべき著作で、ローマを訪れた外国の旅人に対し、ローマ在住の美術愛好家がこの町の美術について語り聞かせるという体裁からも理解できる。全体は五部から構成され、ローマで活動した芸術家についての伝記集となっているが、興味深いことに、最後に、版画についての短い章が加えられている。そこでは十四人の版画家が言及されているが、六人までがイタリア人ではない外国の版画家である（コルトやホルツィウスもこの中に含まれている）。バリオーネはローマで活動した北方画家、例えば、ルーベンスやエルスハイマーについても言及している。しかし、「ローマ美術案内」という基本的性格からも明らかなように、著作全体は圧倒的にイタリアの芸術家が占めている。そのことを考慮するなら、外国人版画家の優遇は興味深い。

版画はヴァザーリにおいてはまだ低い評価に甘んじていたが、コルネリス・コルトの《美術アカデミー》【図27】に明らかなように（そこでは建築や絵画に並んで、版画にも同等の価値が与えられている）、イタリアにおいても北方版画家の活動により、その評価は是正されつつあった。バリオーネの次の言葉は一層、版画の世界における北方版画家の役割を認識させるものだろう。「北方の版画家たちはさまざまな時期にローマを訪れ、正しいマニエラとディセーニョを学んだ……彼らはさまざまに異なる様態で版画を制作した」。

27　コルネリス・コルト《美術アカデミー》（ヨハネス・ストラダーヌスによる）
1578 年、エングレーヴィング、43.6 × 29.8cm

無論、疑義は残る。バリオーネにとって重要なのは、ローマの美術の理念や表現形式を伝えてくれる版画の複製機能であった。バリオーネは版画に一定の評価をしていたが、それはローマの美術を学び、それを世界中に伝播してくれるからであり、版画技法の差別化や個別の技法の表現的特質、また、版画自体の芸術的価値には無関心だった。彼はホルツィウスの帰国後の活動を知らなかったし、バリオーネと同時期にオランダで活動していたセーヘルスやレンブラントの革新的版画も全く眼中になかった。しかし、そうしたセーヘルスやレンブラントのエッチングもまた、実は、深いところでローマの美術とつながっていることを知ったなら、その版画論の記述は違ったものになっていたに違いない。

レンブラントもフェルメールもイタリアを訪れた経験がない。スペインからの独立、すなわち、地中海世界からの離脱という社会的背景もあり、かつては「イタリア美術とは対照的なオランダ美術」という見方が支配的だった。しかし、現在、その見取り図は全く変わっている。知識階級の多くはイタリアに学び、イタリア人文主義はオランダにも広く浸透していた。古代彫刻とイタリア素描の摸刻版画を多数収録したヤン・デ・ビスホップの次のふたつの著作は、まさにイタリア古典主義を賞揚するものだった。『イコネス』(一六六九年頃)はコンスタンティン・ハイヘンスとヤン・ウテンボハールトに、『パラディグマータ』(一六七一年)はヤン・シックスに献呈されたが、いずれも、レンブラントの友人であり、パトロンである。ホルツィウスやハウトの版画に精通し、このような友人たちに囲まれたレンブラントがイタリアに行かなかったのは、すでにその周囲にイタリアが溢れていたからだったのかもしれない。

ベラスケスのイタリア遊学 ――ローマでの教訓と実践

大髙保二郎

……トリニタ・デイ・モンティの丘にあるメディチ家の宮殿、通称〝ヴィーニャ〟（葡萄畑）を見て、彼にはそこが、その夏、研鑽と逗留に最適の地と思われたのであった。その地はローマでもとりわけ高台のさわやかな場所にあり、しかも模写をするのにとても優れた古代彫像があったからである。（フランシスコ・パチェーコ『絵画芸術』一六四九年）

1　ローマ憧憬――イタリアの誘惑と遊学の動機

ベラスケスは二度にわたってイタリア遊学を企てている。最初は一六二九年六月末～一六三一年一月、二度目はそれから二〇年後の一六四八年十一月～一六五一年六月のことである。第一次は、画家は三〇歳前後と若々しい時代で、美術の研鑽を主な目的としており、一方の第二次はすでに五〇歳を迎えようとし、古代彫刻の蒐集という公的な使命を担っていた。二度のイタリア遊学、その主な滞在地である永遠の美術の聖都ローマにおいて、ベラスケスは何を見て学び、何を拒み、何を持ち帰ったのであろうか。

それを考察する際、両遊学には二〇年間という時間的スパンが厳然と存在する以上、第一次と第二次を同列に語ることはできない。すなわち、駆け出しの宮廷画家から成熟したスペインの巨匠へ、ベラスケス自身の境遇が大いに異なっていたばかりか、ローマの美術的な環境も、その社会的・宗教的な環境も一六三〇年頃と一六五〇年頃とでは大いに変化していたからである。初めに一地方画家から宮廷画家となった、ベラスケスの転身のプロセスを概略しておこう。

例えば《セビーリャの水売り》【図1】に代表されるように、カラヴァッジョ風の自然主義的なスタイルから出発したセビーリャ時代のベラスケスにとって、古典古代の伝統と豊かな芸術遺産を誇る美術の先進国イタリアは憧憬と羨望の地であったであろうことは想像に難くない。スペインではルネサンス以降、美術を学ぶためのイタリア遊学

1　ベラスケス《セビーリャの水売り》1620年頃、カンヴァス、油彩、106.7 × 81cm、ウェリントン博物館（ロンドン）

が慣例化していたが、そうした思慕の念は修業時代、彼の地の芸術に精通していた博学の師フランシスコ・パチェーコを通して少年ベラスケスの心に早くから芽生えていたものであったに違いない。その後職業画家として独立、さらには弱冠二四歳の若さで宮廷入りを果たして、王室コレクションのティツィアーノを中心としたヴェネツィア絵画や十五世紀ネーデルラント絵画に触れている。その頃、一六二六年にローマ教皇使節としてマドリードを訪問した枢機卿フランチェスコ・バルベリーニ一行の随員に、当代一流の鑑定家にして蒐集家カッシアーノ・ダル・ポッツォがいた。イタリア絵画を見慣れていたこの古物商には、新米宮廷画家が描いた枢機卿の肖像（現存せず）などは、「陰鬱で厳しい」ものと映ったようだ。その言葉は二年後、外交使節として訪れた巨匠ルーベンスによる後進の画家ベラスケス作品の印象、「慎み深さゆえに大いに気に入った」（パチェーコの記述）に相通じるものがあるだろう。ともあれ、このバロックの巨匠との邂逅はイタリア遊学への思慕を確固たる決意に変えたはずである。

しかも、ベラスケスはあたかも巨匠に挑戦するかのように神話的主題《バッコスの勝利》【図2】を完成させる。「挑戦する」というのは、神話を日常的、庶民的で卑俗な環境とエネルギッシュな人物群で処理しており、同時期、王宮内で

2　ベラスケス《バッコスの勝利（愛称「酔っ払いたち」）》1628-29年、カンヴァス、油彩、165×225cm、プラド美術館（マドリード）

ティツィアーノの同題作を模写した《エウロペの掠奪》【図3】を嚆矢とする、いかにもルーベンスらしい神話画への対抗概念として描かれたものと解釈されるからである。そこに、神話画とか風俗画という因襲的、封建的なジャンル間のヒエラルキーを撤廃せんとするベラスケス流のイノベーションの意識を認めようとみなすのはベラスケス贔屓にすぎるであろうか。

ただ、ここで記憶しておきたいのは、第一次イタリア遊学が単なる美術研鑽ではなく、絵画作品等の蒐集や買い付けも公務として課せられていた事実である。すでにこの頃、画家は六歳年下の主君、フェリペ四世から芸術的、また人間的にも全幅の信頼を得るようになっていたが、そのベラスケスに、一六三〇年代前半に始まる王都郊外の新たな離宮、ブエン・レティーロ造営に伴う装飾事業に必要とされる美術品獲得の使命が託されていたのである。

2　第一次イタリア遊学——絵画の研鑽と古典的なるものへの感興

初めてのイタリア遊学は、一六二九年六月末に王都を出発後、ミラノ総督として赴任するアンブロージョ・スピノラと共に聖ラウレンティウスの祝日（八月一〇日）にバルセロナで乗船し、ジェノ

3　ルーベンス《エウロペの掠奪》（ティツィアーノに基づく）1628-29年、カンヴァス、油彩、181×200cm、プラド美術館（マドリード）

ヴァへ。北イタリアを横断する際に、パルマには立ち寄ったであろう。マドリードのパルマ大使がパルマ公爵夫人宛ての書簡でベラスケスのイタリア旅行に言及し、「〔ベラスケスが〕国王の居室で絵を描き、肖像画を専門とし、……国王はしばしば彼が描くところを見学されております」と記していて興味深い。ヴェネツィアには一時滞在し、続いてフェラーラからチェント、ボローニャ、ロレートを経て一挙にローマへ。それはもう、秋が深まり行く頃であった。

ベラスケスをヴァチカン宮殿に迎え、居室を提供し、宮殿内の壁画を自由に鑑賞できるよう便宜を図ったのは先述した旧知のバルベリーニ枢機卿である。当時、枢機卿はニコラ・プッサンへの支援を始めており、《ゲルマニクスの死》(一六二七年、ミネアポリス美術研究所)を描かせていた。ところが、同年末にはヴァチカンを離れ、旧ローマ市の北方、スペイン広場近く、

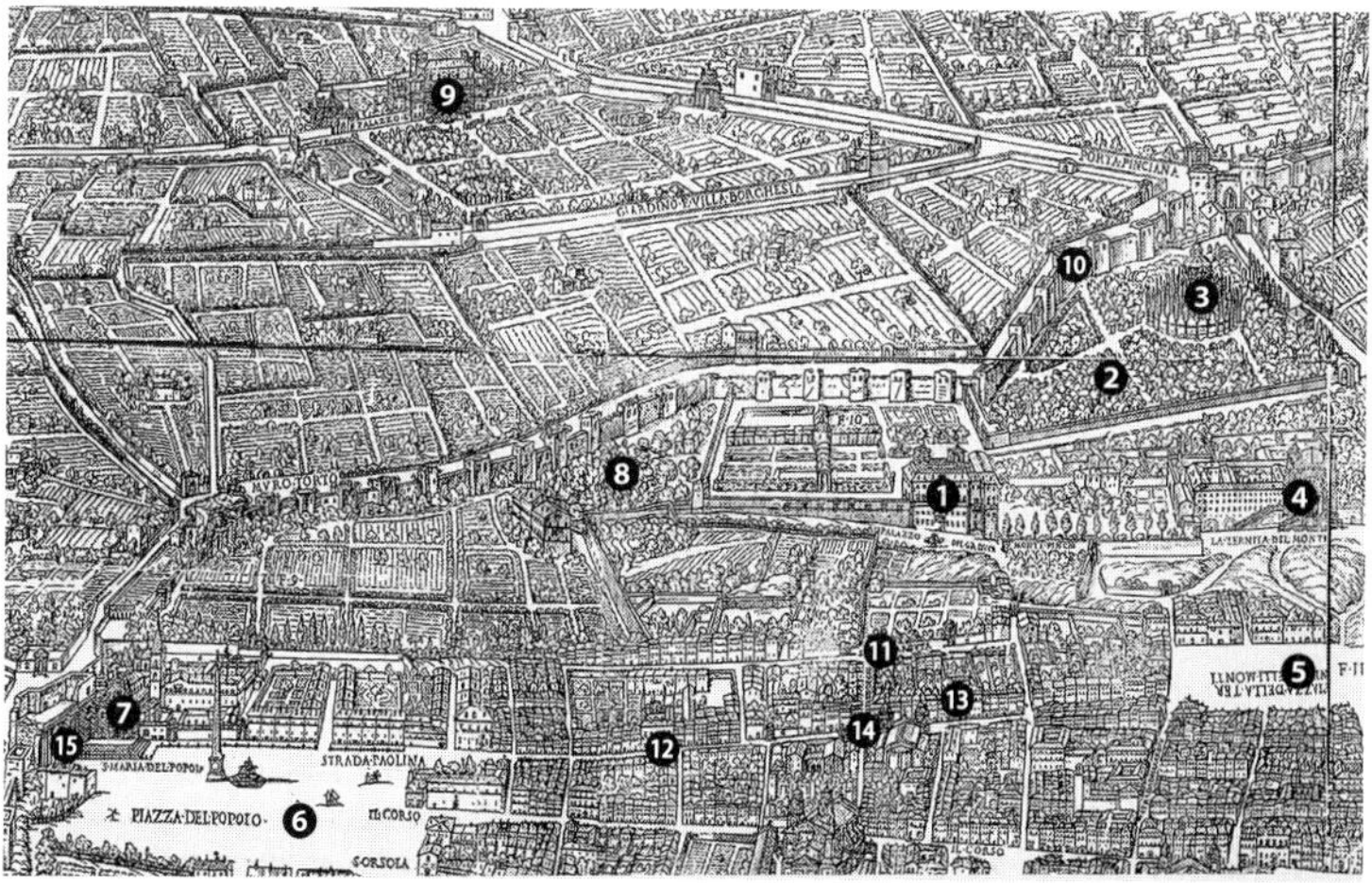

4　ジョヴァンニ・マッジ『ローマ都市図』より「ヴィッラ・メディチとその周辺」1625年
❶ヴィッラ・メディチ本館　❷ヴィッラ・メディチ“ボスコ”　❸ヴィッラ・メディチ“パルナッソ”　❹トリニタ・デイ・モンティ聖堂　❺スペイン広場　❻ポポロ広場　❼サンタ・マリア・デル・ポポロ聖堂　❽ピンチョの丘　❾ボルゲーゼ宮殿　❿アウレシアヌスの城壁　⓫マルグッタ通り　⓬バブイーノ通り　⓭マンナーラの家(?)　⓮パオリーナ通り　⓯ポポロ門

パオリーナ通りに一軒の家を賃借《ちんしゃく》している（参考地図⓭を参照）【図4】。なぜなら、この辺りはスペイン人が多く住み、スペイン大使館やメディチ家別荘にも近く、しかもフランスやオランダからの外国系画家たち、例えばプッサンやクロード・ロラン、あるいはオランダからのピーテル・ファン・ラールに端を発するバンボッチアンティ（Bambocciantі）など、多くが暮らしていたからである。

一六三〇年前後のローマはプロテスタントに対峙してきた対抗宗教改革の成功により、カトリック信仰の勝利と栄光の時代である。バルベリーニ家のウルバヌス八世（在位一六二三〜一六四四年）が教皇として君臨し、自らをルネサンス教皇ユリウス二世の再来と位置付けると同時に、ローマを、世界に冠たる聖都にふさわしい大規模な都市改造と装飾文化事業のもとに刷新させようとしていた。彫刻ではサン・ピエトロ大聖堂の大天蓋のベルニーニ、絵画では《サビニの娘たちの掠奪》のコルトーナの活躍である。

遊学の成果は数こそ少ないが、二点の物語絵、二点の風景画に認められる。そこには、ローカルなセビーリャ＝スペイン的スタイルを脱してベラスケス

5　ベラスケス《ヨセフの長衣を受けるヤコブ》1630年、カンヴァス、油彩、210×285cm、エル・エスコリアル修道院宮殿（マドリード）

6

8

7

6　ベラスケス《ウルカヌスの鍛冶場》1630 年、カンヴァス、油彩、223 × 290cm、プラド美術館（マドリード）
7　《ベルヴェデーレのアポロ》2 世紀の模刻、大理石、像高 224cm、ヴァチカン美術館（ローマ）
8　ジャン・ロレンツォ・ベルニーニ《ダヴィデ》1623-24 年、大理石、像高 170cm、ボルゲーゼ美術館（ローマ）

絵画のヨーロッパ化への企てがあるだろう。

聖書と神話の違いこそあれ、いずれも一六三〇年に制作された物語絵、《ヨセフの長衣を受けるヤコブ》【図5】と《ウルカヌスの鍛冶場》【図6】は、制作の動機は不明とはいえ、共に秘密の告知や暴露を題材としており、サイズもほぼ同じところから対作品として構想されたと見なすべきであろう。いずれの画面でも登場するのは男性であり、その多くが上半身裸で、それぞれ角度を変えて捉えている。室内空間での有機的な人物群の配置、若者たちの正確な解剖学による裸体表現には、古代彫刻やルネサンス、時にはバロック美術を咀嚼した研鑽の成果が提示されている。しかも空気の層が演出され、色彩と空間感覚も豊かとなった。このような絵画的達成は、古典主義の伝統とその作品が身辺にあるローマの地でこそ可能である。特に《ウルカヌスの鍛冶場》は、太陽神アポロがヴィーナスの不貞をその夫で鍛冶神《かじしん》の、脚が不自由なウルカヌスに密告しようと訪れた一瞬で、《ベルヴェデーレのアポロ》【図7】、ベルニーニの《ダヴィデ》【図8】など、彫刻類を範としたことは明らかである。

一方、二点の風景画小品は同じ頃、ローマのメディチ家別荘で描かれた。ヴィッラ・メディチは十八世紀末、ナポレオンの肝煎りでフランス政府が購入し、フランス・アカデミーが主宰するローマ賞留学生の舞台であった。同別荘はピンチョの丘に建っており【図9、10】、冒頭に引用したパチェーコの証言どおりに、ベラスケスは一六三〇年の夏をここで過ごすことになった。この由緒あるヴィッラは画家にとっては霊感のトポスとなったようだ。三階建ての建物東正面の外壁はアラ・パキス（平和の祭壇）からの貴重なレリーフで飾られ【図11】、ポルティコではフィレンツェのメディチ家から運んだブロンズ製のメルクリウス像の噴水やメディチのライオンなどに迎えられる。ベラスケスが帰

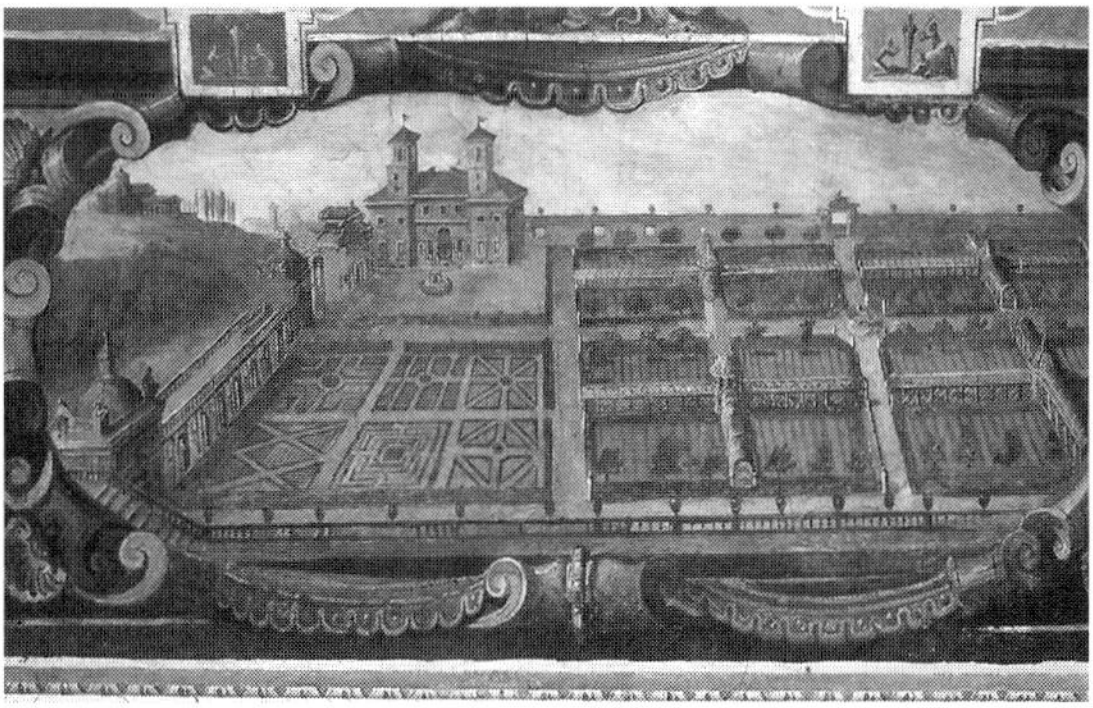

9

10

11

9　ヤーコポ・ツッキ《東から見たヴィッラ・メディチ》1576-80年頃、壁画、オーロラの小部屋、ヴィッラ・メディチ（ローマ）

10　ヴィッラ・メディチ外観、ボルゲーゼ公園側より臨む（1990年代撮影）

11　ヴィッラ・メディチ内、東正面玄関のポルティコ、G・F・ヴェントゥリーニの銅版画、1691年（右上の壁面には《牡牛の供犠》のレリーフが認められる）

国した後、彼による仲介の労で離宮レティーロに送られるはずのジャン・ルメール筆《テーベでの最初の隠修士聖パウルス》【図12】にも描き込まれたように、庭園にはラメセス二世のオベリスクが建ち（画面中央）、巨大な《メディチの甕（クラテール）》（画面右）も置かれていた。さらに南のロッジア下のグロッタ【図13】は古代彫刻類の展示・保管庫となっていた。風景画というジャンルが確立

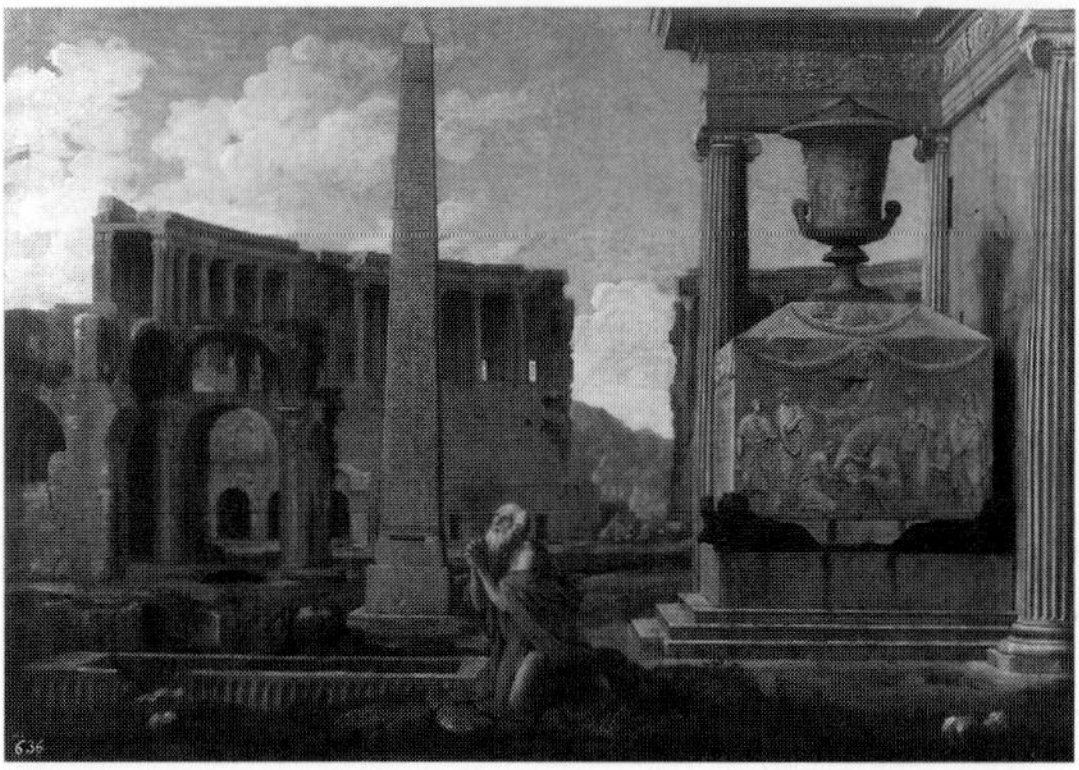

12

13

12　ジャン・ルメール《テーベでの最初の隠修士聖パウルス》1637年、カンヴァス、油彩、163 × 241.5cm、プラド美術館（マドリード）

13　デオダト・レイ「ヴィッラ・メディチ、グロッタの正面」1778年、『ヴィッラ・メディチ』

された十七世紀であったとはいえ、いまだ理想化された風景画が主流であった当時としては異例な、写生による近代的な純粋風景画はかくして誕生した。

即興風に描かれた二点の風景画、《アリアドネ像のあるヴィッラ・メディチの庭園》【図14】と《ヴィッラ・メディチの庭園、ローマ》【図15】はサイズや形状からして対作品と見なせようが、一方は開放的、他方は閉鎖的で、対照的な空間構造だ。両作とも自由闊達な下描き風のタッチで処理され、ケベードが「バラバラの染み（manchas distantes）」と形容したように、とりわけ

14

15

14　ベラスケス《アリアドネ像のあるヴィッラ・メディチの庭園》1630年頃、カンヴァス、油彩、44 × 38cm、プラド美術館（マドリード）

15　ベラスケス《ヴィッラ・メディチの庭園、ローマ》1630年頃、カンヴァス、油彩、48 × 42cm、プラド美術館（マドリード）

木々の緑や数名の人物描写は印象派に先駆けての近代的画風である。光と空気、自然と人間、建築や彫刻が音楽のようなハーモニーを奏でる。ロッジアには、古代彫刻《眠れるアリアドネ》（現在はフィレンツェ、国立考古学博物館）【図16】が置かれていた。他方、別荘本館からのびるガレリアの最東端に位置するグロッタ【図13、17】は、画面と比較すれば明らかなように、制作当時は改修工事のために閉ざされていた。美しくも、印象的でもないこの平凡なシーンを、画家はなぜモティーフと

16

17

16 《眠れるアリアドネ（通称クレオパトラ）》2世紀頃、大理石、国立考古学博物館（フィレンツェ）
17 ヴィッラ・メディチ、グロッタのロッジア（1970年代後半撮影）

して選んだのであろうか。

いま一つの問題は制作時期をめぐってである。二点の風景画は第一次イタリア遊学時の制作か、それとも第二次であったのか、十九世紀末以降のベラスケス研究史において長年、小品とはいえ議論の対象とされてきた作品である。本報告の時間に制約があるために、その詳細は拙著『ベラスケス 宮廷のなかの革命者』（岩波新書、二〇一八年、九四〜一〇二頁）に譲りたいが、結論を言ってしまえば、ここで取り上げたとおり、第一次遊学中、ヴィッラ・メディチに逗留した一六三〇年初夏のことであったとみなしてよい。自由闊達なタッチによる近代的な様式も先の物語絵二作と矛盾しておらず、近年のプラド美術館での科学調査においても第一次でしかありえない、と結論されたのである。

ベラスケスはローマで多くの画家たちに出会ったが、まったく意外な邂逅の可能性を指摘しておこう。それは天文学者ガリレオ・ガリレイとの出会いである。ガリレイはヴィッラ・メディチではなくローマのメディチ宮殿、通称マダーマ宮に滞在していたが、二人は共にメディチ家宮殿のニッコリーニ大使の客人であり、共通の知人でもあった。ガリレイは、地動説を提唱して異端審問にかけられた科学者である。それだけでなく、デッサンが巧みで月相図【図18】や風景なども手がけており、著作を残すほど美術にも造詣が深く、彫刻よりも絵画の優位論者であった。

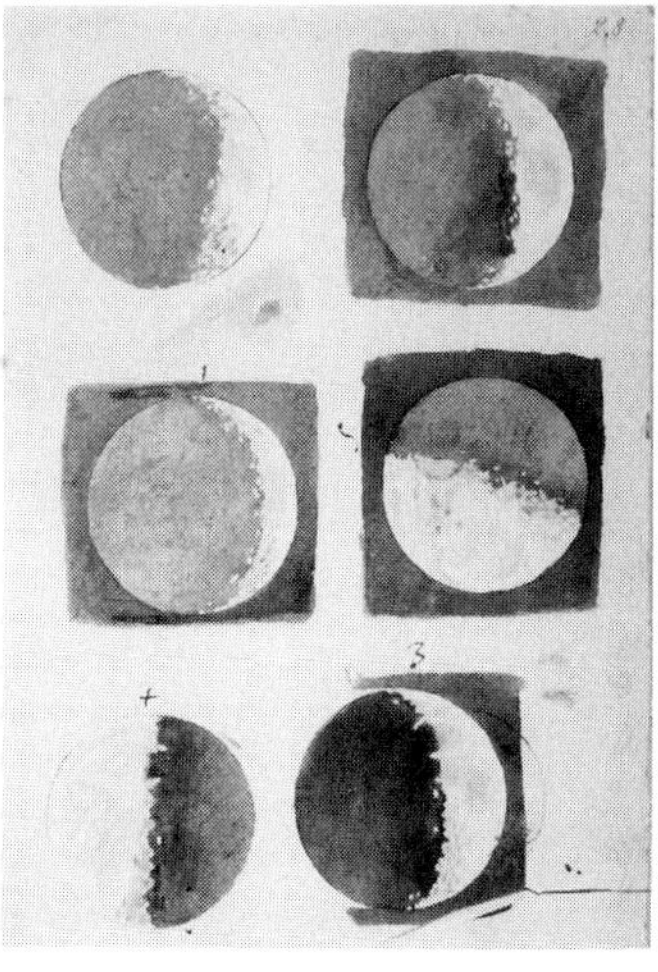

18　ガリレオ・ガリレイ「月相図」1610年、国立中央図書館（フィレンツェ）

ローマ滞在から帰国して数年、ベラスケスはブエン・レティーロのために《フェリペ四世騎馬像》【図19】を制作。同作のレプリカ（現在、ウフィツィ美術館）がフィレンツェに送られた後、彫刻家ピエトロ・タッカはそれをもとにブロンズ製騎馬像に取り組むことになった【図20】。その際、一〇トン近い巨大なブロンズ像の騎馬が、後脚のみで騰躍姿勢を保つという極めて困難なポーズに対して、技術的な解決法を提供したのがガリレイであったとされる。

ベラスケスはローマ滞在を契機に風景画を発見する一方で、古代彫刻にも開眼した。とはいえ、ベ

19

20

19　ベラスケス《フェリペ4世騎馬像》1635年頃、カンヴァス、油彩、303×317cm、プラド美術館（マドリード）

20　ピエトロ・タッカ《フェリペ4世騎馬像》1636-40年、オリエンテ広場（マドリード）設営

ラスケスの絵画は古代美術の単なる模倣にも、廃墟へのノスタルジーにも向かわなかった。またコルトーナやカラヴァッジョのように、華麗な、あるいはドラマティックな物語表現に向かうこともなかった。帰国直後の《十字架上のキリスト》【図21】が寡黙に訴えるとおりに、古代彫刻の教訓を活かしつつも、彼の芸術は悲劇やドラマ性とは無縁の、アポロ像のように平穏な、現世の環境というか現実、いま生きている現存在のなかにしか存しなかったのである。

21　ベラスケス《十字架上のキリスト》1632年頃、
カンヴァス、油彩、248 × 169cm、プラド美術館（マドリード）

3　第二次イタリア遊学――画家の栄光と古代彫刻蒐集

一六三〇年代と一六四〇年代、その二〇年近くの間にベラスケスの絵画は悠々たるテンポであったものの、しかし着実に成熟していった。とりわけ離宮ブエン・レティーロと狩猟休憩塔トーレ・デ・ラ・パラーダをめぐって、自ら陣頭指揮を執った二大絵画装飾事業はスペインの誇りと栄光を象徴するものであったが、フェリペ四世にとっては最後の、一瞬の煌めきのようでもあった。スペイン王国は一六四〇年を迎える頃から、下り坂を転げ落ちるように瓦解していく。

そんな斜陽化していく時代、一六四八年の晩秋にベラスケスは助手パレーハを伴い、王室侍従代専用の馬車一台と絵画作品を運ぶ騾馬一頭が提供されて王都を出発。カタルーニャでの政情不安やペストの流行を避けるためにマドリードから南下してマラガへ。そこでウィーンからフェリペ四世に嫁ぐ王妃マリアナ・デ・アウストリアをトレントの地にまで出迎える外交使節団と共に乗船する。三月、ジェノヴァに上陸した後、ベラスケスはミラノに向かい、レオナルドの《最後の晩餐》ほか優れた絵画や彫刻も鑑賞したようだ。パドヴァを経由してヴェネツィアへ。一六四九年五月末にはローマに到着、聖都を舞台にして二年近く長期滞在する。

この当時、ローマは聖年を迎える前の年の特別な時期にあった。二〇年ぶりのイタリア遊学は、初回の時とはまったく異なり、画家としての名声はすでに彼の地にまで届いており、もはや絵画研鑽の旅ではなく、改修工事後の王宮アルカーサル内に、新たに飾る美術品を買い付ける公的使命を国王から命じられていた。しかも、教皇への特別使節という高度の政治的使命も担っていた。こうした環境で、ローマ教皇を筆頭に宗教界の重要人物を肖像画に描き、一六五〇年の聖年を迎えると同時に画家としての栄光は極まろうとしていた。

一月、ローマの聖ルカ美術アカデミーの会員に、二月には、パンテオン名人芸術家協会のメンバーにも推挙された。さらに三月十九日には、パンテオン名人芸術家協会が主催する絵画展に出品。パロミーノの記述に従えば、それは助手パレーハの肖像であった【図22】。的確で自在なタッチと自然らしい存在感はすでに当時から高く評価され、パンテオン内に展覧された折には「他が絵に見えるほどに、これのみが真実だ」と絶賛されたという。パレーハは混血のモリスコ（キリスト教に改宗したムーア人）で、一六三〇年代初めにベラスケスの工房に参加するが、助手とはいえその身分は奴隷であった。自由学芸としての絵画とその職（oficio）は自由人にしか許されていなかったかの時代、パレーハは独立しての自由な制作は認められていなかった。しかしローマにおいて、十一月二三日、ベラスケスは長年にわたる奉仕への報奨として、公証人の前で「逃亡せず、犯罪も犯さない」との四年間の執行猶予付きの奴隷解放状をパレーハに授与している。この事実一つを見ても、ベラスケスの人間性がうかがい知れるだろう。

22　ベラスケス《フアン・デ・パレーハ》1650年、
カンヴァス、油彩、81×69cm、メトロポリタン美術館（ニューヨーク）

23

24

23　ベラスケス《教皇インノケンティウス 10 世》1650 年、カンヴァス、油彩、
140 × 120cm、ドーリア・パンフィーリ美術館（ローマ）

24　教皇への献辞とベラスケスのサイン、図 23 の左手部分

肖像画に見る穏やかなパレーハの姿には、一個の人間としての自負と控えめな誇りがあふれており、師匠の、弟子への友愛があってこそ生まれた名品である。

パンフィーリ家出のインノケンティウス一〇世【図23】は一六四四年、ローマ教皇に選出された。聖年のローマは「インノケンティウスのローマ」であり、彼は以前に教皇大使としてマドリードに赴任した前歴があった（一六二六～三〇年）。スペイン贔屓で知られ、ベラスケスとは旧知の間柄であったと推定される。この、西洋肖像画を代表する一作では、崇敬のしるしを紙片にとどめ（献辞とサイン）【図24】、夏の盛りの頃に描かれたのか、額からは汗さえ吹き出しそうに見える。この猊下《げいか》の容貌を生のまま一瞬にして捉える一方で、激しい猜疑心と職務への不撓不屈の情熱など、屈折して複雑なモデルの人格を余すところなく暴いている。いまにも動き出しそうなリアルな姿である。

第二次イタリア遊学の主たる目的は、パロミーノがベラスケスの蒐集の成果を具体的な作品名を挙げて記したように、「真正の絵画作品や古代の彫像を買い付け、ローマの各地において見出される著名な彫刻について鋳型をとらせる」（『絵画館と視覚規範』）ためであった。そうした第二次遊学の目的や活動に関しては以下の外交官文書においても明らかだろう。

　当地に王付き侍従代、ベラスケスなる者が到着し、イタリアにある彫像や絵画を見てまわり、マドリードの宮殿を飾るためにそれらの最上のものを手に入れる使命を帯びているそうです。しかるに、この宮廷〔教皇庁〕はすべてのこと、特に諸侯たちの行動について、自由かつ賢明に判断する権利を有していますが、その使命があらゆる点で多くの損失や不幸を伴うものである以上、今はその時機ではないと思われます。（一六四九年五月二九日、デ・ラ・クエバ枢機卿から弟ベドマール侯爵への書簡）

とはいえ、フランスからのプッサンも同様の使命を担っていたように、古代彫刻の蒐集はハイ・バロックのこの時代、その重要性が広く認知され始めており、古典古代の宝庫ローマでさえ思うように進捗しなかった。そのために、オリジナルの彫刻獲得はほとんど期待できなかった。やむを得ずベラスケスは、当代有名となっていた古代彫像について、オリジナルからその鋳型をとらせるように方針転換せざるを得なかったのである。代表的な例として石膏像にされた《ファルネーゼのヘラクレス》【図25】を挙げておこう。

さて、ベラスケスはアルカーサル内、八角堂改修工事の検査官兼会計官（veedor y contador de la fabrica de la Pieza Ochavada）として、改装の監督官を務める傍ら、八角形のサロンの装飾を古代彫刻で飾ろうとしていた。ローマでは、ボルゲーゼ、ファルネーゼ、ルドヴィーシ、そしてメディチの各家宮殿に置かれた古代彫刻コレクションの中から八角堂にふさわし

25 《ファルネーゼのヘラクレス》石膏像レプリカ、1650 年に型取り
（原作はリュシッポス作。大理石模刻は国立考古学博物館（ナポリ）所蔵）

い彫刻を選択、ブロンズあるいは石膏にしたコピー、あるいはその雌型だけでも制作させて、スペインに発送の手配をした後に帰国している。彼の片腕として協働し、彼が帰国した後もその責任を担ったのがローマでの代理人ファン・デ・コルドバであった。ベルニーニ工房に支援を仰いで、それらの制作を担当した技師も知られており（しばしばその名前がコピーの片隅に明記された）、イタリア人の成型師（formador）チェザーレ・セバスティアーニ、ジュリアーノ・フィネッツリ、《寝そべるヘルマフロディトス》などの名作を鋳造した鋳造師マテオ・ボヌッチェリたちである。しかし、蒐集にあまりにも熱心過ぎたのであろうか、先のデ・ラ・クエバ枢機卿からは、先の引用文に続いて「不名誉なことに、絵画と彫像についての詐欺の

26

27

26　《瀕死のガリア人》原作は前3世紀、ローマ時代の模刻、大理石、カピトリーノ博物館（ローマ）
27　ベラスケス《メルクリウスとアルゴス》1659年頃、カンヴァス、油彩、127×250cm、プラド美術館（マドリード）

任務だ」、さらには「略奪して回っている」（七月一〇日）とまで批判されたのであった。

こうした古代彫刻蒐集への情熱や経験は、たとえ直接的で明白なかたちではないにせよ、彼の制作にまったく影響がなかったとは言いきれない。例えば、石膏コピーにされた《瀕死のガリア人》（カピトリーノ博物館）【図26】は、最晩年の《メルクリウスとアルゴス》【図27】において、巧みに角度を変えた二体のポーズの霊感源であった。さらに、ベラスケスの選択で石膏コピーにされた《眠れるアリアドネ（通称クレオパトラ）》（ローマ、ヴァチカン美術館。図16とは別作品）は、その制作がこのローマ滞在直前であったとの解釈を完全否定するものではないが、裸婦横臥のポーズはもとより、その流れるような裸身と美しい後ろ姿からしても、続いて言及する《鏡のヴィーナス》【図28】と結び付けて解釈する誘惑を拒みきることはできない。

4　《鏡のヴィーナス》をめぐる諸問題

《鏡のヴィーナス》はどこか女っ気に乏しいベラスケス作品中では意外な印象を抱かせるが、その制作時期やモデル問題などをめぐって謎を秘めた、魅惑的な一作である。「沈むベッドが肉体の重みを伝える一方、うなじから背中へ、窪みがある臀部から足先まで、我々には後ろ姿をしか見せない。逆にそれが一層エロスを感じさせる……」（前掲書『ベラスケス　宮廷のなかの革命者』）。それは新たな挑戦と革新であった。鏡を見せるのが羽を肩に付けたクピドであるがゆえに、伝統的な神話主題「化粧のヴィーナス」と断じざるを得ないが、しかし、女神というよりは生身の女性が我われの目前に寝そべっているかのようだ。

同作が初出するのは一六五一年だが、その直後、フェリペ四世の寵臣オリバーレス伯公爵の甥の息子、エリーチェ・イ・カルピオ侯爵の財産目録中に、「シーツに身体を横たえた裸婦（una muger desnuda）の一枚の画布、右腕に寄りかかる後ろ姿で描かれ、男の子がもつ鏡に見入っている。ベラスケス筆」（同年六月）と記載された。すなわち、女神としてではなく、神話世界とは対極の、この地上世界、現世での写実的な情景として理解されていたことになろう。その意味でも、制作はイタリア遊学以前の、堅苦しい宮廷のアルカーサルではなく、古代やルネサンスのヌードに恵まれた異郷の地、自由を満喫できたローマ滞在中の作と考えるべきではなかろうか。これまでイタリア遊学直前の作とされてきたが、最近では館長のガブリエレ・フィナルディをはじめ最新のロンドン、ナショナル・ギャラリーのカタログにおいては、一六四七～一六五一年と幅をもたせた年代設

28　ベラスケス《鏡のヴィーナス》1647-51年、カンヴァス、油彩、122 × 177cm、ナショナル・ギャラリー（ロンドン）

定に変更された。モデルがいたのか（想像ではここまでリアルに描くことはできないだろう）、もしいたとすれば、ベラスケスがローマで、アントニオ・デ・シルバという男児をもうけた当の相手マルタであったか否かはここでは措くとして（詳しくは前掲書一九二〜一九四頁参照）、この後ろ向きの女性のポーズやうなじを見せる姿は画家お気に入りのイメージとして、晩年の作《アラクネの寓話》、通称「ラス・イランデーラス（織女たち）」【図29】の右方で座す女性に生き続けるであろう。

おわりに

一六五〇年二月十七日に始まる国王自らのベラスケスへの帰国要請は一〇回以上に及んだが、そうした督促状をあたかも無視するかのように、この宮廷画家は一年以上も帰国を遅延させた。しかも一六五一年を迎えてからは、古代彫像関連の公的業務はほとんどなかった。国王がローマ駐在大使インファンタード公爵に宛てた最後の督促では、「御地でベラスケスが残した仕事を早急に

29　ベラスケス《アラクネの寓話（通称「ラス・イランデーラス（織女たち）」）》
1657-60年頃、カンヴァス、油彩、220×289cm、プラド美術館（マドリード）

完全に終えてくれるならば、余の満足と喜びはいかほどであろうか」（一六五一年三月十六日）と書かれている。この書簡を機に帰国を決意したのであろう。しかし、帰国遅延の本当の理由は何であったのか。一六五一年六月二三日、フェリペ四世は先のインファンタード公爵に、「ベラスケスはマドリードに帰着した。スペインの沿岸にはナポリからの艦船で、彼が手がけた仕事の一部がいくつか大型の箱として届いている。」と書き送っている。

ベラスケスにとって、ローマとは何であったのだろうか。ローマは「永遠の都」とのフレーズどおり、その歴史、都市、芸術といったすべてにおいて偉大であった。あまりに偉大過ぎたとも言えるだろう。しかし、そうしたローマを前にして、ベラスケスは古代彫刻、またルネサンスやバロックの古典的な、あるいは華麗でドラマティックな絵画に範を求めることはあっても、それらに耽溺することはなかった。スペイン・スタイルに偏らず、いたずらにイタリア化するのでもない、ベラスケス独自の第三の道を探究していった。それは理想化された人体や事物の表現ではなく、あるがままの自然、そこにあるかのごとき存在の実現であった。同時に、既定の固定化したジャンルのヒエラルキーに囚われず、ジャンル横断的な絵画の新たな道を見出したのである。

■図版出典
『プラド美術館展：スペインの誇り　巨匠たちの殿堂』読売新聞東京本社、二〇〇六年、43頁：図4
大髙保二郎、川瀬佑介『もっと知りたいベラスケス』東京美術、二〇一八年、36頁：図16
大髙保二郎撮影：図7、図8、図10、図17、図20、図25
Wikimedia Commons, Photo © Jean-Pol GRANDMONT：図26

ヴィンケルマンのアポロ主義とラファエッロ主義

佐藤 直樹

はじめに――ヴィンケルマンと『ギリシア美術模倣論』

一七四八年九月、三一歳のヨハン・ヨアヒム・ヴィンケルマンは、ドレスデン近郊ネートニッツ城で、政治家であり歴史家だったビューナウ伯ハインリヒの図書館司書となる【図1】。ビューナウ伯の四万二〇〇〇点もの書籍を蔵するこのコレクションは当時より名高く、教皇の使節アルベリーコ・アルキントの訪問を受けるほどであった。ヴィンケルマンの優秀さはアルキントを引きつけ、ヴァチカン図書館の司書の職をこの時に提案される。ヴィンケルマンは、一七七五年に『ギリシア美術模倣論』を出版すると、満を持して同年秋にローマに渡り様々な枢機卿に仕えている。『ギリシア美術模倣論』は、当時のバロック＝ロココ的な芸術界のアンチテーゼとして古代的な「理想美」を提案しつつ、古代美術研究における重要な概念「高貴な単純と静なる偉大さ」(eine edle Einfalt, und stille Größe) を生み出した。宮廷顧問官で友人のヒエロニムス・ディートリヒ・ベレンディスに宛てた一七五五年六月四日の書簡において、ヴィンケルマンは自著の価値が次の五点にあると力説するのである。「①ギリシア人の人体の優秀であったことに対して最高度の真実らしさを与えた点　②ベルニーニに対する反駁論破　③これまで何人も知らなかった古代作品およびラファエッロの卓越を最初に明らかにしたこと〔傍線は筆者〕④自国が有する古代作品の紹介　⑤新しい大理石彫刻法。」（以下、ヴィンケルマンの翻訳は、澤柳大五郎訳によるが、漢字と仮名遣いを現代の表記に、固有名詞を本書の表記に改めた。）①のように、ヴィンケルマンは、ドイツ人と比べてギリシア人の肉体が最も美しいとはっきり述べる。ギリシア人が生来の気候や環境に恵まれているだけでなく、その身体育成にも十分な注意がなされ、ドイツ人は遠く及ばないと断じ

1　テオバルト・フォン・オーア《ネートニツ城図書館で学者たちに囲まれるヴィンケルマン》1874年、カンヴァス、油彩、105 × 140cm、ザクセン州立・大学図書館（ドレスデン）

た。生身の人体からしてすでにギリシア至上主義なことに驚かされる。

さて、本稿で取り上げたいのは、③で示されたような、「古代作品およびラファエッロの卓越」を最初に明らかにしたヴィンケルマンの学問的業績についてである。ヴィンケルマンは古代彫刻《ベルヴェデーレのアポロ》と、唯一古代を理解し表現したラファエッロこそが、この時代の芸術家たちが模倣すべき手本であると定めた。稿者は、これをヴィンケルマンの「アポロ主義」と「ラファエッロ主義」と名付け、この二つの美のカノンが、どのように「古典」のイメージを形成し、ドイツ、ひいては欧州全体にそれを広め大きな影響を残していったのか検証することにしたい。

その前に、ヴィンケルマンが二つ目の成果として挙げた「ベルニーニ批判」、すなわちバロック芸術批判について、まずは確認しておこう。ローマに行く前のヴィンケルマンがドイツで見ることができたのは、ドレスデン王室が所有するコレクションなどに限られていた。ドレスデンの王宮を飾っていた彫刻は、ほとんどすべてがベルニーニを手本とするものであり、ドレスデンはバロック美術にあふれていたのである。ヴィンケルマンは、「人も知るとおりあの大ベルニーニは、ギリシア人がその美しい身体ならびにその彫像の理想的な美において卓越しているということに対して疑問を提出した一人」だとして批判の槍玉に挙げ、バロック的な過剰美に対して静謐な古典的理想美を対置し、《ベルヴェデーレのアポロ》【図2】をその典型として最高傑作に据えたのである。「かのヴァティカンのアポロの、人間性を超えた均衡をもつ美しい神の姿以上の何者をも、我々の理念をもってしては到底想像し得ないだろう。凡そ、自然と精神と芸術との作り得る最高のものがここにはっきりとあらわれている」と。加えて、ヴィンケルマンはイタリアに占拠されたドレスデンを嘆いた。「イタリアの音楽、イタリアの美術ほどドイツの王侯貴族の心を引きつけるものはなかったし、またドイツほどイタリア人たちが容易に荒稼ぎできるところはほかになかった。十八世紀前半のドイツはイタリア人の〈植民地〉であり、その植民地のうちで最たるものがドレスデンであった。ドレスデンは「エルベのヴェネツィア」と称されてその美しさを誇っていたが、ヴィンケルマンがあえて『模倣論』の冒頭で「ドレスデンは美術家にとってアテネとなった」と述べているのは、ドイツがもはやイタリアを手本とするのではなく、ギリシア文化の象徴であるアテネとつながることによって、ローマ文化を背景にもつフランスとイタリアからの圧倒的な支配から、ドイツの自立を促すためであった。これは、ドイツ民族文化の自立を目指しつつ、王侯貴族の支配する宮廷文化からの脱却、ひいては市民階級のための文化の民主化をはかる宣言だと言えよう。こうしたヴィンケルマンのナショナリスティックな思想には、早くもロマン派の萌芽までも認められる。古典主義が形成されていく過程で、それを乗り越える初期ロマン派の誕生さえもがヴィンケルマンの理論に内包されているのである。

2　《ベルヴェデーレのアポロ》前 350-25 年頃、大理石、ヴァチカン美術館（ローマ）

1　ヴィンケルマンのアポロ主義

ヴィンケルマンは、『ギリシア美術模倣論』の執筆時、つまりローマに行く前には、《ベルヴェデーレのアポロ》は複製版画で見ていたにすぎなかった。そして、《ベルヴェデーレのアポロ》をヴァチカン庭園で実見した後も、アポロに対する美の確信が揺らぐことはなかった。ローマで書き上げた美術史上初の様式論『古代美術史』（一七六四年）で、《ベルヴェデーレのアポロ》を「このアポロ像は、破壊をまぬかれた古代の作品のすべてのなかで美術の最高の理想である」と讃え、ヴィンケルマンのアポロ主義はローマで確信へと変わったのである。『ギリシア美術模倣論』が、現物の古代美術観察に基づかないものであったにせよ、古代彫刻の「理想美」を掲げて旧来の美意識を変革していったことは極めて重大な出来事であった。加えて、その随所に見られる「反バロック」的眼差しは、ゲーテやレッシングにも影響を与え、ドイツ古典主義の理論的支柱となっていくのである。

そうした影響力の大きさを示すものとして、当時の素描教則本に古代彫刻こそが学ぶべき手本として図版入りで出版されることが挙げられよう。なかでも、複製版画家ジョヴァンニ・ヴォルパートは、娘婿のラファエッロ・モルゲンと共著で有名な古代彫刻の図集『デッサンの原理』を出版する【図3】。本書の文頭にある序文「若い素描愛好家たちにむけて」において、自然を観察する目がまだできていない初学者が自然をいきなり学んではうまくいかないこと、そのため古代の彫刻を模倣することが大事であると説かれており、これはまさに、ヴィンケルマンの主張をそのまま繰り返すものである。彼の古典主義思想が本書にしっかりと継承されたことがうかがえる。

ヴォルパートは、アントニオ・カノーヴァの支援者であったため、二人は親しく交際していた。カ

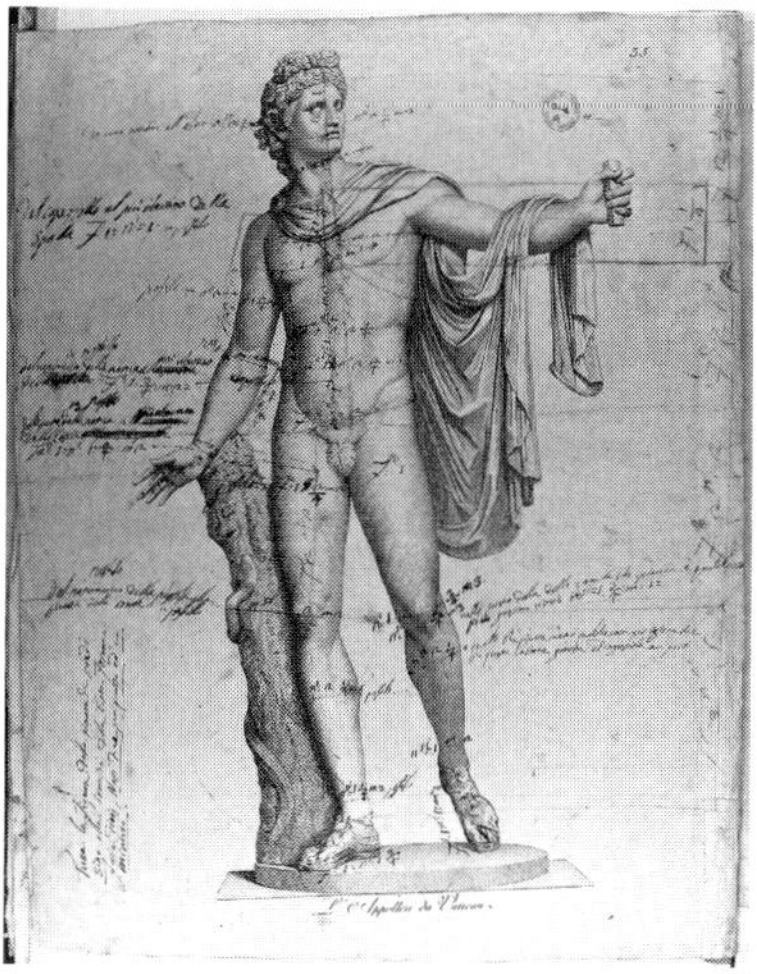

4

3

5

3　ジョヴァンニ・ヴォルパート／ラファエッロ・モルゲン《ベルヴェデーレのアポロ》『デッサンの原理』図版 35、1786 年

4　ジョヴァンニ・ヴォルパート／ラファエッロ・モルゲン《ベルヴェデーレのアポロ》（アントニオ・カノーヴァによる加筆、1786 年以降）『デッサンの原理』図版 35、1786 年、バッサーノ・デル・グラッパ市立博物館

5　アントニオ・カノーヴァ《勝利するペルセウス》1801年、大理石、ヴァチカン美術館（ローマ）

ノーヴァが持っていた『デッサンの原理』に収められた《ベルヴェデーレのアポロ》の図版には、カノーヴァ自身による計測線とメモが残されていて興味深い【図4】。しかしこの計測線は、ヴォルパートが記載した計測基準とは異なり、カノーヴァがアポロ像の実物に即して計測した数値に思われることから、自分なりの理想美の比率を求めてカノーヴァが検討した証拠となっているのである。カノーヴァが残した数ある傑作のなかでも、《ベルヴェデーレのアポロ》との関係で極めて重要なのが《勝利するペルセウス》【図5】である。《ベルヴェデーレのアポロ》を彷彿とさせるプロポーションと姿勢から、アポロの身体比例研究の帰結として《勝利するペルセウス》が構想、制作されたことは言うまでもない。また、《勝利するペルセウス》は、特定の依頼や注文による制作ではなく、カノーヴァ自らが作像し、大理石像として仕上げたものであった。完成した《勝利するペルセウス》は、手本とした古代彫刻と競わせるかのように、工房で《ベルヴェデーレのアポロ》の石膏像と併置されたという。本作が教皇庁によって購入されると、驚くべきことに、当時ナポレオンによって略奪されて空になっていた《ベルヴェデーレのアポロ》の台座上に載せられる。古代彫刻の美の規範として知られる《アポロ》の代理をなした《ペルセウス》、カノーヴァにとってこれ以上の名誉はない。もちろん、この設置は教皇ピウス七世による、対ナポレオンの明快な政治的シグナルであったが、何より、《ベルヴェデーレのアポロ》がカノーヴァによって「再生」されたことは、ヴィンケルマンのアポロ主義が造形物として実現されたことも意味している。

2 ヴィンケルマンのラファエッロ主義

ヴィンケルマンは『模倣論』の中で、ラファエッロを「近世における」真の古典古代の理解者であると《アポロ》と並べて高く評価する。その静寂の表現が、バロック期の大げさな身振りの作家と一線を画すると考えるからであった。「近世において、古代人の真の性格を最初に感じ、発見するためには、ラファエッロのごとき、くしくも美しい肉体に宿るくしくも美しい魂が必要だったのである」と、ヴィンケルマンは述べ、さらにラファエッロの優位性を証明するために独自の理論を展開する。「自然模倣よりも古代模倣の方が勝つていることを最も明瞭に示すためには同等の才能を有する二人の若者をとらえて、その一人には古代作品を、他の一人には専ら自然を研究させてみるのが最もよい……一人は自然を見たままに描くだろう。イタリア人ならばカラヴァッジョ風の人物を描き、オランダ人ならうまく行ってヤコブ・ヨルダーンス風に」〔傍線は筆者〕と、バロック美術への強い反発をまずは示し、「ところが古代研究に向かった画家は自然をかくあれと望むごとくに描き、ラファエッロのように人物を描くであろう」と結論づけた。つまり、古代を模倣することで画家はラファエッロのように描けると言う。古代とラファエッロがついに対等に扱われ、ここに「ラファエッロ主義」が堂々と宣言されたのである。

しかし、驚かされるのは、ヴィンケルマンがラファエッロ作品の中でも筆頭として挙げているのは、決して評価の高くはない《教皇レオ一〇世とアッティラの会見》【図6】だと言うことだ。これが常軌を逸していることは当のヴィンケルマンも承知していて、ラファエッロの眼差しを借りて見ないことにはこの作品の良さは理解できないと述べた上で、「かくして初めて、多くの人には生命のな

6

7

6　ラファエッロ《教皇レオ 10 世とアッティラの会見》1517 年、フレスコ、500 × 750cm、ヴァチカン美術館（ローマ）
7　教皇レオ 10 世、図 7 の部分

いものに見えるラファエッロの《アッティラ》の中心人物の静と寂とが非常に意味深い崇高なものとなってくるのである」と、普通に見ただけでは気づけない真の美がそこにあることを指摘する【図7】。「ローマに突入しようという匈奴の王の計画を阻止するローマの大司祭は、雄弁家の身振りや動作をわずかにも示さず、ただその姿を現しただけで騒乱を鎮める威厳に満ちた人物として現れる」のであり、「それはヴェルギリウスの歌っている人のように神のごとき確信に満ちた面持ちを持って、暴君

8　ラファエッロ《システィーナの聖母》1513-14 年、カンヴァス、油彩、
265 × 196cm、ドレスデン国立美術館

の前に現れる」と『アエネイス』までも引用しつつ本作の価値を高めることに努めている。

もちろん、ドレスデン時代のヴィンケルマンにとって貴重なラファエッロ体験となった《システィーナの聖母》【図8】を抜きにラファエッロ主義は語れない。「ドレスデンの王室画廊は、今その重宝中にラファエッロの尊重すべき作品、しかもヴァザーリその他の証するとおりその最盛期の作品を加えるに至った。それは聖シクストゥスと聖バルバラが両側にひざまずき、前景には二人の天使のいる聖母子像である。」「純粋無垢の面貌と、女性らしさを超えた威容とを並び具え、清浄な安らかな姿勢を保ち、古代人がその神々の像の中にみなぎらせたあの静けさの裏にあるこの聖母を見よ、その全体の輪郭のなんと壮大にして高雅なことか。」ヴィンケルマンは「静けさ」と「輪郭」をキーワードにラファエッロの高雅な美を讃えることで、ラファエッロの芸術が古代を基盤としていることを印象付ける。つまり、ラファエッロに受け継がれた古代の美は、大げさな表現にあるのではなく、抑制された静かさの中のあることを強調するのである。

こうしたヴィンケルマンのラファエッロ主義をまさに体現した画家がいる。ドレスデンの宮廷画家イスマエル・メングスの息子のアントン・ラファエル・メングスである【図9】。コッレジョの本名アントニオとラファエッロの両方の名前を併せ持つ彼の運命は生まれた時から定められていたのだろう。そのメングスがヴィンケルマンと出会ったのは、ドレスデンではなく一七五五年、ローマであった。

9　アントン・ラファエル・メングス《自画像（16歳）》
1744年、紙、パステル、55×42cm、
ドレスデン絵画館

10

11

10　アントン・ラファエル・メングス《パルナッソス》1761年、フレスコ、313 × 580cm、ヴィッラ・アルバーニ（ローマ）

11　ラファエッロ《パルナッソス》1509-10年、フレスコ、幅670cm、ヴァチカン美術館（ローマ）

アントン・ラファエルという名前のとおり、メングスは、まさにヴィンケルマンの芸術思想を視覚化する運命を担った画家なのである。『模倣論』の刊行から六年後、一七六一年にメングスが仕上げた《パルナッソス》【図10】は、ヴィンケルマンが唱えた古典主義を実際にかたちにしたものと言える。これは、当時、ヴィンケルマンがローマで司書を務めていたアルバーニ枢機卿のヴィッラの主室(古代彫刻陳列館)を飾る天井フレスコ画である。バロックの極端なトロンプルイユを排除し、水平方向の秩序を重視した空間構成は、確かにこれまでのバロック時代の壁画とは違う新しいものであった。この壁画を見たヴィンケルマンは、メングスを「ラファエッロの灰から蘇った不死鳥」とまで褒め称えた。パルナッソスに集うアポロとニンフたちの姿を描いた本作は、ヴィンケルマンがカノンとして位置付けた《ベルヴェデーレのアポロ》の理想的な身体と、ラファエッロのがヴァチカン宮殿の署名の間に残した傑作《パルナッソス》【図11】の主題と構図を理想的なかたちで合成したものであった。これこそが、まさに、ヴィンケルマンが『ギリシア美術模倣論』で示した芸術理論の視覚化なのである。

おわりに——古典主義から「前ラファエッロ主義」へ

最後に、ヴィンケルマンのラファエッロ主義が、十九世紀になると革新的な「前ラファエッロ主義」を生み出したことを見ておこう。それは、十九世紀になってもなお、ヨーロッパの美術アカデミーにおいては常に古代彫刻とラファエッロの芸術が手本となっていた古典主義的教育へのロマン派的な反発であった。ウィーンの美術アカデミーの教育を形骸化したものと捉えて反逆し、中世や初期ルネサンスの素朴な芸術に立ち返ろうとしたヨハン・フリードリヒ・オーヴァーベックとフランツ・プフォルを中心にした「聖ルカ兄弟団」、別名「ナザレ派」が一八〇九年にウィーンで結成されると、翌一八一〇年には憧れの地ローマで共同生活を始めた。ナザレ派の作品は、古典主義と同様に、バロック以来の明暗の対比、大げさな身振りを避けたが、メングスとヴィンケルマンが築き上げた異教的な古典主義は拒否し、均等な光に照らされた、輪郭の明確な抑制された画面を好んだ。彼らは、ヴィルヘルム・ハインリヒ・ヴァッケンローダーの有名な小説『芸術を愛する一修道僧の真情の披瀝』（一七九七年）の熱心な読者だった。この書で、ヴァッケンローダーが「我らの畏敬すべき祖先」としてデューラーを挙げ、主人公の夢のなかでラファエッロとデューラーが手を取り合う場

12　フリードリヒ・オーヴァーベック《イタリアとゲルマニア》1811-28年、カンヴァス、油彩、94×107cm、ノイエピナコテーク（ミュンヘン）

面を挿入したように、オーヴァーベックは《イタリアとゲルマニア》【図12】で、イタリア美術とドイツ美術の融合という明確なナザレ派の理想を表現する。オーヴァーベックはその後も、ラファエッロと見紛うばかりの作品を次々と発表し、一見すると、ヴィンケルマンの唱えたラファエッロに倣う「ラファエッロ主義」にとどまっているように見えるのであるが、ラファエッロを通して古代を目指したヴィンケルマンとは根本的に異なるものになっている。ナザレ派は、造形的には輪郭線が明確、かつ静謐で造型性が高いため、古典主義に見えがちだが、その真情は中世的なキリスト教の芸術に近しいからである。

もう一人、ローマでナザレ派に合流したドイツの中世主義者を挙げておこう。デュッセルドルフで生まれたペーター・コルネリウスは、フランクフルト滞在中に制作した《聖家族》【図13】において、フランスの古典主義的な画面構成から離れ、中世美術への転向を示す。美術史家フランク・ビュットナーが指摘するように、コルネリウスはこの作品で初めて、意識的に古ドイツの美術、すなわちデューラーの様式に立ち返り、さらにはマリアの膝の上に立つ幼子イエスとハープを演奏する天使というモチーフをラファエッロから取り入れた。コルネリウスは単身でローマに赴きナザレ派と合流するのだが、驚くべきは、それ以前にナザレ派と見間違えるような、デューラーとラファエッロをうまく融合させた作品を完成させていたという点であろう。コルネリウスは、どうやってアカデミックな古典主義から離れ、古ドイツやイタリア・ルネサンスの様式を学び取り入れることができたのだろうか。彼の転換点の一つとして、古美術収集家のズルピッツ・ボワスレーとヨハン・バプティスト・ベルトラムが一八〇三年の夏にコルネリウスのアトリエを訪問したことが指摘される。ボワスレー兄弟とベルトラムが作り上げたデュッセルドルフの中世美術コレクションを介して、コルネリウスは古ドイツ美術に次第に目を開かれていったに違いない。一八二七年には二一五点もの板絵（なかにはロヒール・ファン・デル・ウェイデン【図14】やデューラーも含まれる）が、バイエルン王ルートヴィヒ一世に売却され、現在のアルテ・ピナコテーク絵画館の基礎が築かれる。つまり、コルネリウスは、

13　ペーター・コルネリウス《聖家族》1810-11年、カンヴァス、油彩、54×64cm、シュテーデル美術館（フランクフルト）

ウィーンのベルヴェデーレ宮殿で古ドイツ美術に触れたオーヴァーベックやプフォルたちよりも、質量ともに凌駕する作品群をデュッセルドルフで体験していたのである。

ビュットナーは、この出来事に加えて、フリードリヒ・シュレーゲルによる中世を礼賛する芸術論にコルネリウスが触れたことも指摘する。シュレーゲル自身もゴシックや古ドイツ絵画へのさらなる興味をボワスレー兄弟との交流の中で深めていることから、コルネリウスがシュレーゲルの芸術理論に触れたのは、シュレーゲルの講演を聴講していた友人たちに加え、ボワスレー兄弟を通してであった可能性が極めて高いとされる。シュレーゲルは「絵画記述」の第一補遺において、独自の絵画理論を打ち立てた。それは、「過去の画派の偉大な様式に立ち返ること」が、これからの美術に

14　ロヒール・ファン・デル・ウェイデン《コロンバ祭壇画》（中央パネル）1455年頃、板、油彩、138×153cm、アルテ・ピナコテーク（ミュンヘン）

助けとなるとした上で「絵画は古代の手本から解放されるべき」だという主張だった。つまり、シュレーゲルは、アカデミックな古典主義に反して「ロマン主義」と呼ばれる、中世に立ち返る想像力豊かな世界を新しい時代の芸術の指針であると示したのだった。

つまり、彼の芸術観は、ヴァッケンローダーの『芸術を愛する一修道僧の真情の披瀝』によって開かれた新しい地平をさらに展開するものであった。シュレーゲルが対象としたのは、もっぱらイタリアとドイツの「古絵画」である。これは十六世紀中頃までの絵画を指し、これ以降の美術の展開を錯誤の歴史とみなし、真に絵画的なものを古絵画に探ろうとした。シュレーゲルによれば、近代の芸術はイタリアにおいてジョット、ドイツおよびオランダおいてファン・エイク兄弟といった先駆者たちとともに「キリスト教芸術の新しい朝の太陽」が登り、ラファエッロとデューラーにおいて頂点に達したという。これ以降をシュレーゲルは「堕落の歴史」とみなし、十八世紀において絵画は完全に堕落してしまったと断じた。ミケランジェロと彼に追随するマニエリストたちから芸術の堕落が始まったと批判した上で、ラファエッロにおいてはその後期ではなく「初期のラファエッロこそが学ぶべき手本なのである」と主張する。シュレーゲルの時代、もちろんラファエッロはヴィンケルマンが打ち立てた理論によって「古代の理想的美」を表現しているがゆえに賛美されていたが、シュレーゲルによれば、ラファエッロで参照すべきは限られた作品のみであり、しかもラファエッロの本質は「古典的理想美」にはないと言う。なぜなら、初期ラファエッロこそが「古い画派に最も結びついている」からであって、ジョットからマンテーニャ、ベリーニ、師のペルジーノに至るまで、いわゆるプリミティーヴォの画家たちの真価が今こそ再評価されるべきだと唱えたのだった。こうしたシュレーゲルの芸術理論が、ナザレ派に与えた影響の大きさについては言うまでもないが、コルネリウスもまた、デュッセルドルフでシュレーゲルから強く感化されていた。つまり、ウィーンとデュッセルドルフの両都市で、古絵画を目指す若い画家たちが同時に活躍し始めていたのだ。ナザレ派が拠点を移したローマにコルネリウスが引きつけられ、プフォル亡き後にナザレ派に合流したのも、まるで必然であったかのようだ。そして、彼らの共通の目的は、古代を体現するラファエッロを模倣することではなく、中世美術を保持する初期ラファエッロなのであった。

ならば、シュレーゲルが主張したラファエッロの初期とは、一体、ラファエッロのどの時期を表すのであろうか？　ラファエッロの画業を考えると、ウルビーノやフィレンツェで聖母子を多数描いていた時代がそれにあたるだろう。しかし、喜多崎親が『前ラファエッロ主義　過去による十九世紀絵画の革新』所収の論文で指摘するように、フランスのカトリック批評家アレクシス＝フランソワ・リオの引いた境界線は異なっている。リオの著作『キリスト教の詩情について』（一八三六年）は、シュレーゲルによりつつも「初期ラファエッロ」作品の境界線をヴァチカン宮の「署名の間」に置き、これ以降の様式を堕落とする考えが示されたことは示唆的である。つまり、リオは、ラファエッロの様式を「署名の間」を境に二期に分けた上で、特に最晩年の二年間を堕落とし、それ以前の古典的な様式からの逸脱と捉えているのである。リオによる線引きと同様に、オーヴァーベックの《宗教の勝利》**【図15】**は、ナザレ派にとって手本となるラファエッロが、決して、ラファエッロの画業の初期と一致しているわけではないことを示している。このことは、《宗教の勝利》とラファエッロの「署名の間」の壁画《聖体の論議》**【図16】**との極めて近しい相関性からも明らかだ。しかし、ナザレ派

15

16

15　フリードリヒ・オーヴァーベック《宗教の勝利》1829-40 年、
カンヴァス、油彩、392 × 392cm、シュテーデル美術館（フランクフルト）

16　ラファエッロ《聖体の論議》1509-10 年、フレスコ、500 × 700cm、
「署名の間」、ヴァチカン美術館（ローマ）

がどこまでシュレーゲルの意見や、リオの著作に影響を受けたかについては、さらなる調査が必要である。この「前ラファエッロ主義」の「初期ラファエッロ問題」については、ここではこれ以上触れずに本稿を終わることにしよう。

これまで検討してきたように、ヴィンケルマンが古代を学ぶ手本として挙げたラファエッロは、古典主義に対抗するロマン派の若い画家たちによっても手本であり続けた。しかし、それはラファエッロに古代を見ようとしたのではなく、「初期」ラファエッロのなかに潜む中世を見ようとしたのであった。ヴィンケルマンの「ラファエッロ主義」という「古典主義」は継承されずとも、ナザレ派によって「中世主義」に変貌させられながら、ラファエッロは美術史から姿を消すことなく画家たちの手本として参照され続けていくのである。

■図版出典
佐藤直樹撮影、二〇一九年　Photo © Naoki Sato, 2019：図2、図5
Photo © Städel Museum, Frankfurt am Main：図13、図15

フランス近代絵画とローマ

喜多崎 親

成城大学の喜多崎です。私は十九世紀のフランス美術を専門としていますので、本日は「フランス近代絵画とローマ」という問題を設定しました。

これまでの各先生方のご発表からもあきらかなように、ローマは何よりも古代とルネサンス、そしてバロックの美術によって、西洋の美術史に大きな役割を演じてきました。このことは、十九世紀のフランスにおいても基本的には変わりません。

最初にお見せするのは、大高先生のお話にも出てきたメディチ家の別荘ヴィッラ・メディチです【図1】。メディチ家の断絶後、一八〇三年にナポレオンによってフランスのアカデミーの分館となりました。

アカデミーというのは、ルイ十四世時代に、様々な学問芸術を統括するために作られた組織で、美術のアカデミーは、ルネサンスに成立した人文主義的な価値観を遵守し、歴史的主題を扱う画家や彫刻家を育てることを目的としていました。そこでは、古代やルネサンスの美術から理想的な身体プロポーションや身振りを学び、古典的な構図にまとめ上げる技術が求められました。このアカデミーの教育機関としての面を体現するのがパリに設立された国立美術学校でした。

国立美術学校にはローマ賞というコンクールがありました。基本的に年に一人、学内の歴史画のコンクールで主席を取った者が、四年ないしは五年間、ローマに留学できる制度です。留学生達は、このヴィッラ・メディチを宿舎としてローマに滞在し、館長の監督のもと、課題をこなし、歴史画家としての研鑽を積み、やがてパリに戻って画壇にデビューするのです。彼らは芸術界のエリート中のエリートでした。

この作品はウィリアム・ブグローという画家が、一八七九年に描いて国が主催する公募展サロンに出品した《ヴィーナスの誕生》【図2】です。ブグローも一八五〇年のローマ賞受賞者で、のちにアカデミーのメンバー、パリの国立美術学校の教授にもなった歴史画家です。

ローマのヴィッラ・ファルネジーナにラファエッロが描いた作品【図3】と比べると、全体の構図や各人物のポー

1　ヴィッラ・メディチ（ローマのフランス・アカデミー分館）

ズなど、ブグローがラファエッロの作品を換骨奪胎していることがよくわかります。これは単にブグローがラファエッロから影響を受けたということではなく、ラファエッロを参照していることを明示しているわけで、鑑賞者にもそれがわかることが求められているわけです。

ヴィッラ・メディチに留学中のつきあいは、しばしばその後のキャリアにもつながりました。例えば、パリのオペラ座【図4】を設計したシャルル・ガルニエは、建築のローマ賞を受賞して一八四九年から一八五三年までヴィッラ・メディチに滞在していました。そしてそのときに知り合った画家や彫刻家を、この建物の装飾に起用しています。

正面右の彫刻《ダンス》【図5】を作ったジャン＝バティスト・カルポーがそうですし、グラ

2

3

2　ウィリアム・ブグロー《ヴィーナスの誕生》1879年、
カンヴァス、油彩、300 × 215cm、オルセー美術館（パリ）

3　ラファエッロ《ガラテアの勝利》1511年、
フレスコ、295 × 225cm、ヴィッラ・ファルネジーナ（ローマ）

4

5

6

4　シャルル・ガルニエ《オペラ座》1860-75 年、パリ
5　ジャン=バティスト・カルポー《ダンス》1869 年、石、高さ 420cm
6　ポール・ボードリー《オペラ座グラン・フォワイエ天井画》、1875 年、マルフラージュ

ン・フォワイエと呼ばれるロビーに、バロック風の天井画【図6】を描いたポール・ボードリーもそうでした。

こうした事例からもわかるように、アカデミズムにとってローマは、古代やルネサンス、バロックを直接学ぶ場として、またアカデミックな芸術家達のサークルが形成される場として機能していたのです。

しかし第三共和制期になると、古典主義やバロックとは別の視点からローマを見ることが出てくるようになります。その例として、本日はアカデミズムからはエベール、前衛画家からはルノワールの活動に着目してみます。

1 エベール

エルネスト・エベールは、一八一七年にグルノーブルで生まれ、パリの国立美術学校を卒業、一八三九年にローマ賞を受賞して、のちに二回もヴィッラ・メディチの館長職についています。

これは【図7】エベールのローマ賞受賞作です。この年の課題は旧約聖書の創世記に語られるエピソードで、エジプトの宰相に出世したヨセフが、兄弟達を試すために、密かに末の弟ベニヤミンの荷物の中に銀の杯を入れさせ、盗みの疑いをかけるというものです。エベールは、中央に銀杯を発見するエジプトの役人と、当惑するベニヤミンとを置き、彼らの顔の向きから左右に弟を気遣う兄弟達へと視線を導き、静かにドラマを展開させることに成功しています。

エベールの出世作は、一八五〇年から五一年にかけて開催されたサロンで絶賛され、国家買上と

9

7

8

7　エルネスト・エベール《ベニヤミンの袋から発見されるヨセフの銀杯》1839 年、カンヴァス、油彩、64 × 54cm、国立美術学校（パリ）

8　エルネスト・エベール《マラリア》1848 年、カンヴァス、油彩、135 × 193cm、オルセー美術館（パリ）

9　エルネスト・エベール《音楽》1882 年、カンヴァス、油彩、84 × 110cm、プティ・パレ美術館（パリ）

なった《マラリア》【図8】です。風土病の流行から逃れる一家を描いたこの作品は、歴史画ではなく風俗画ですが、当時流行のイタリア的な情景を、歴史画家としての技術で見事にまとめていま す。以後エベールは、風俗画や上流階級の肖像画、そして特に、美人画ともいえそうな女性像【図9】で人気を博し、画家としてはほぼ完璧な名誉と地位を手に入れることになります。

このエベールの、歴史画家としての代表作が、パンテオンのアプシス【図10】です。パンテオンは、十八世紀にスフロによって建てられた新古典主義の建築で、もともとパリの守護聖人聖ジュヌヴィエーヴに捧げられた聖堂でした。フランス革命のときに、革命の偉人を記念する建物として、すべての神を祀るローマの神殿にならってパンテオンと改称され、その後、政治体制の変化に伴って、キリスト教の聖堂に戻されたり、パンテオンに戻されたりしていました。

10　エルネスト・エベール原画《フランスの守護天使にその国民の運命を示すキリスト》1884年、モザイク、パンテオン（サント＝ジュヌヴィエーヴ聖堂）（パリ）

建物の内部は長らくほとんど無装飾でしたが、普仏戦争後の一八七四年、愛国主義的な風潮の中で、美術総監であったフィリップ・ド・シュヌヴィエール侯爵が、フランスがカトリック教会と手を結んでいかに発展してきたかを示すプログラムを提案し、当時の代表的な画家達に壁画の制作を依頼しました。エベールは、その中で最も重要な、正面奥のアプシス装飾を受け持ちます。

主題である「フランスの守護天使にその国民の運命を示すキリスト」は、シュヌヴィエールからの指定でしたが、技法はエベールに任されました。パンテオンの他の壁画は、壁に直接描くのではなく、カンヴァスに描いた油彩画を壁に貼り付けるマルフラージュという技法でしたが、エベールはモザイクを選びました。その理由は、マルフラージュが湾曲したアプシスには不向きなためですが、エベール自身がモザイクに興味を持っていたことも見逃せません。

一八七一年一〇月十七日に友人に宛てた手紙で、エベールはモザイクについてこのように評価しています。

フィレンツェ、ヴェネツィア、ラヴェンナを回ったばかりです。この最後の町で、私がモザイクに見いだしたものは、私を打ちのめしました。この厳しい尊さの横では、近代の美術は吐き気を催させます。ルネサンスは、このいくつかの素晴らしい成果をもたらした最もはっきりしたものの頽廃なのですが、続く何世紀かを泥の溝の中に浸したので、そこから抜け出すのはもはや難しいのです。（ベレー宛ての手紙　一八七一年一〇月十七日　トロンシュにて）

ここで批判されている近代の美術は、もちろん新しい前衛芸術ではありません。ルネサンスの美術を賞賛し継承してきたアカデミズムのことです。エベールがアカデミズムの中枢にいたことを考えれば、このようにルネサンスを頽廃と捉え、ビザンティン的な美術を賞賛するこの感想は、きわめて異例のものであり、それ自体アカデミズムの変化を示唆するともいえます。

そしてエベールは、パンテオンの依頼を受けた翌年の一八七五年五月からイタリアに行き、改めてミラノ、ウルビーノ、アレッツォ、ラヴェンナ、ヴェネツィア、ローマなどを回ってモザイクを研究しています。

ローマでは、サンタ・プデンツィアーナ【図11】、サンタ・チェチリア・イン・トラステヴェレ【図12】、サンタ・マリア・イン・トラステヴェレ【図13】を始め、サンタ・プラッセーデ、サン・ロレンツォ・フォーリ・レ・ムーラ、サン・ジョヴァンニ・イン・ラテラノなど、五世紀から十二世紀の聖堂のモザイクによるアプシス装飾を熱心に回り、キリストを中心とする左右対称の構図や少ない人物による簡潔な構成、金地背景のヒントを得ました。

なかでも特筆されるのは、サンティ・コズマ・エ・ダミアーノ聖堂のアプシス【図14】です。フォロ・ロマーノのすぐ横に立つこの六世紀の聖堂アプシスには、左右対称の単純な構図やぎごちないとすら感じられる身体表現などが強く認められます。エベールのモザイクには、それらの要素もありますが、ここではさらに、キリストのポーズや衣装の形や襞、サンダルなどを直接的に借りています【図15、16】。

壁にテッセラと呼ばれる石やガラスの切片をはめ込んで図柄を作るモザイクは、ルネサンス以降、

11

12

13

11　サンタ・プデンツィアーナ聖堂アプシス（ローマ）、5 世紀、モザイク
12　サンタ・チェチリア・イン・トラステヴェレ聖堂アプシス（ローマ）、9 世紀、モザイク
13　サンタ・マリア・イン・トラステヴェレ聖堂アプシス（ローマ）、12 世紀、モザイク

14

16

15

14　サンティ・コズマ・エ・ダミアーノ聖堂アプシス（ローマ）、6 世紀、モザイク
15　エベール原画《フランスの守護天使にその国民の運命を示すキリスト》部分
16　サンティ・コズマ・エ・ダミアーノ聖堂アプシス部分

衰退していました。その理由は、何よりも、対象の質感や立体感を再現的に描くことが、油彩画のようには出来なかったことが考えられます。

しかしこの表現性の評価に関しては、あきらかにこの時期に変化が生じていました。モザイクの復興に深く関わったジェルスパックという美術官僚は、その著作『モザイク』の中でこのように記しています。

エベールの作品は偉大な単純さと卓越した品位を持ち、その色彩は抑制され、穏やかである。この作品は、ラヴェンナの方法、より正確に言えば、何よりも制作に於ける簡素さを必要とする装飾芸術の真の諸原理に従って、モザイクを作品へと変化させる。かくしてその着想の偉大さ、デッサンの正確さ、単純で精力的な技術的方法を結びつけることで、パンテオンのアプシス装飾は、現代モザイクの新しい典型を作り、過去二世紀の精彩に乏しい様式と現在の折衷的制作物とを遠く引き離すことになろう。（エドゥアール・ザッカリー・ジェルスパック『モザイク』新版、出版年不明、初版は一八八一年）

また批評家のエフルッシは、雑誌『ガゼット・デ・ボザール』に以下のように記しました。

自らの個人的感覚が浸透した強靱さをイタリアのヒエラティックな美術から汲み取ったインスピレーションに結びつけ、エベール氏は、深く敬虔なその単純さそのものによって、その場の威厳のあらゆる点に値する、雄大で印象的で威厳のある一ページを我々に与えてくれる。(シャルル・エフルッシ「パンテオンのアプシスのモザイク」『ガゼット・デ・ボザール』一八八四年一〇月一日)

このヒエラティックという語は、「神聖な」という意味を持ち、美術においては正面観など宗教的な威厳を示す形式のことを指します。ここには、エベール自身がビザンティン風のモザイク画を評価したのと同じ視線、つまり、モザイク画が油彩画に比べれば簡素で単純に見えることこそが、偉大さや敬虔さに結びつくという評価が表れているのです。

エベール原画のパンテオンのモザイクは、こうして十九世紀後半の壁面装飾とルネサンス以前の絵画への再評価という側面を併せ持つことになります。

2 ルノワール

次に取り上げるのは、印象派を代表する画家ピエール＝オーギュスト・ルノワールです。ルノワールは一八七〇年代には、いわゆる筆触分割を用いていましたが、一八八〇年代になって、自分の描きたい主題と技法との間の矛盾に悩み始めます。後に画商ヴォラールとの対話で、その頃のことをこう回想しています。

一八八三年頃、自分の仕事に断絶のようなものが生じました。印象主義の限界にまで行ってしまい、描くこともデッサンすることも出来ないという状態になりました。一言で言えば、袋小路にはまったのです。(アンブロワーズ・ヴォラール『ピエール＝オーギュスト・ルノワールの人と作品』一九一九年)

そうしたルノワールの迷いは、この《雨傘》【図17】という作品には、明確に表れています。一八八一年に描かれた右側の女性と一八八五年になって加筆された左側の女性とを比べると、その描き方が全く変わっているのです【図18】。右の方は筆触がめだち、人物の輪郭や表情はあいまいになってしまっているのに対し、左の方ははっきりとした輪郭を持ち、立体的な陰影がつけられて、顔立ちもはっきりしています。人物を描きたいルノワールにとって、筆触分割という方法が使いづらいものになっていたことがわかります。

そしてこの問題は、一八八六年に描かれた《大水浴》【図19】でひとつの解決を見ました。ここでは背景の木々や水面には筆触分割が用いられていますが、人物からは筆遣いを排除し、はっきりした輪郭線と陰影が用いられています。

この変化を考える上で重要なのは、一八八一年にルノワールがイタリアに旅行し、ローマでラファエッロのフレスコ画に衝撃を受けたという事実です。ラファエッロはもちろん古典主義の巨匠として、アカデミズムの最大の規範でした。したがって前衛画家としてのルノワールは、もともとラファエッロに関しては否定的な評価を下していました。一八七七年には、ローマ賞をあざ笑うかのように、次のように書いていたほどです。

18

17

19

17　オーギュスト・ルノワール《雨傘》1881 年、1885 年、カンヴァス、油彩、180.3 × 114.9 cm、ナショナル・ギャラリー（ロンドン）

18　図 17 の部分

19　オーギュスト・ルノワール《大水浴》1886 年、カンヴァス、油彩、117.8 × 170.8 cm、フィラデルフィア美術館

画家達は、ローマにラファエッロを写しに送られる。……そういう画家達は、ラファエッロやイタリアのその他の巨匠に近づこうとしているが、ばかげたことだ。（ルノワール（「ある芸術家」として寄稿）「現代の装飾美術」『美術雑誌 印象主義者』第二号、一八七七年四月四日）

ところがローマでラファエッロを見た後には、全く変わります。画商デュラン＝リュエルに宛てた手紙です。

私はローマでラファエッロの作品を見ました。非常に美しく、もっと早く見ておくべきでした。多くの知識と英知がありました。私のように不可能なことを追求はしません。しかし、美しいのです。油彩画ならアングルの方が好きですが、ラファエッロのフレスコ画には驚くべき単純さと偉大さがあります。（デュラン＝リュエル宛ての手紙　一八八一年一一月二一日、ナポリにて）

ここには見落とせない点がひとつあります。ルノワールが油彩画ではなく、フレスコ画を通してラファエッロを発見したという点です。ラファエッロの作品は、パリのルーヴル美術館はもちろん、フィレンツェなどでも見ることが出来ました。しかしそれらは油彩画であり、フレスコ画はローマに集中しているのです。

ルノワールは、有名な《アテネの学堂》を始めとするヴァチカンの署名の間【図20】やヘリオドロスの間はもちろん見ていますが、彼がラファエッロについて語る際、度々名前を出しているのは、ヴィッラ・ファルネジーナです。

ヴィッラ・ファルネジーナ【図21】は、もともと銀行家のアゴスティーノ・キジが建てた瀟洒な別

20

21

22

20 「署名の間」、ヴァチカン美術館（ローマ）
21 ヴィッラ・ファルネジーナ（ローマ）
22 「プシュケのロッジア」、ヴィッラ・ファルネジーナ（ローマ）

荘で、多くのフレスコ画で飾られていることで有名です。ガラテアのロッジアと呼ばれる部屋には、先ほどブグローと比較した、海のニンフであるガラテアの勝利の場面【図3】がラファエッロによってフレスコで描かれています。また、プシュケのロッジアと呼ばれる空間の天井には【図22】、アモールとプシュケの物語がやはりラファエッロによってフレスコで描かれています。

言うまでもなくフレスコ画は、壁の漆喰が乾かないうちに水性の絵具を用いて描き、乾燥と同時に石灰質の膜が出来て絵具を固定する技法です。油彩画のような塗り重ねが出来ず、独特の乾いた白っぽいテクスチャを作ります。ルノワールはこれらの作品に、単純さと偉大さを感じ取ったのです。

翌一八八二年、ルノワールが当時最大のパトロンであるシャルパンティエ夫人に出した手紙には、こうした作品から受けた印象がさらに次のように綴られています。

ラファエッロは、戸外で制作はしませんでしたが、それでも日光の研究はしました。というのも彼のフレスコは日光にあふれているからです。（シャルパンティエ夫人宛ての手紙一八八二年一月末か二月上旬、エスタックにて）

この文章からは、ルノワールがもはや光を捉えるのに筆触分割は必要ないと考えていたことが見て取れます。

そして、ルノワールは自らの作品で、フレスコ画の技法を意識し始めるのです。一九一九年にヴォラールが出版したルノワールの伝記では、ルノワールははっきりとヴィッラ・ファルネジーナのラファエッロをフレスコとして評価しています。

ファルネジーナのフレスコは、私を魅了しました。あなたはどのようにあのフレスコ画がいつも私の心を占めていたかご存じですし、私はどこかで、あれが油絵による最初のフレスコの試みだと読みました。(アンブロワーズ・ヴォラール『ピエール＝オーギュスト・ルノワールの人と作品』一九一九年)

ヴィッラ・ファルネジーナのフレスコが油彩で描かれているというのはもちろん間違いですが、これはルノワールの試みとは一致します。《大水浴》はそのひとつの結果でした。同じヴォラールが以下のようなルノワールの回想を記しています。

私は《水浴する女たち》の大作を企て、三年間それに没頭しました。……この時期の私の作品のいくつかは、それほど堅牢ではないということを告白しておかなければなりません。というのも、フレスコ画の探求に没頭していたので絵具から油を取り去ることを考えついたからです。それ故絵具は非常に乾燥し、重ねて塗る絵具の層がうまくつきませんでした。(アンブロワーズ・ヴォラール『ピエール＝オーギュスト・ルノワールの人と作品』一九一九年)

ルノワールがいつどのようにフレスコ画に興味を持ち始めたかはわかりませんが、一八七〇年代の後半には、マクリーンセメントという室内装飾用のセメントに油彩画を描く試みをしています【図23】。これは壁面のようなテクスチャへの興味だと思われます。

またフレスコやテンペラの描き方について説明しているチェンニーノ・チェンニーニの『芸術の書』との関係も指摘されています。十五世紀に書かれたこの本は、フランスでは一八五八年にアングルの弟子のヴィクトール＝ルイ・モッテという画家が初めてフランス語に訳しました。ルノワールがいつこのモッテの翻訳を読んだのかはわからないものの、一九一一年にモッテの息子がこの翻訳を再版したときには序文を寄せています。

またモッテ自身、一八四〇年頃にパリのサン＝ジェルマン＝ロクセロワ聖堂に、フレスコで壁画【図24】を描いていますが、ルノワールは序文でこのフレスコ画にも言及しており、知っていたことは確実です。

24

23

23　ルノワール《ジョルジュ・リヴィエール》1877年、油彩、マクリーンセメント、36.8 × 29.3cm、ナショナル・ギャラリー（ワシントン）
24　ヴィクトール＝ルイ・モッテ《自分のマントを乞食に裂いて与える聖マルティヌス》、1837-40年、フレスコ、サン＝ジェルマン＝ロクセロワ聖堂（パリ）

そして、《大水浴》とフレスコ画の関係を考える上で、もう一つ見落とせないことがあります。制作の翌年の一八八七年、パリのジョルジュ・プティ画廊でこの作品が展示されたとき、ルノワールは「浴女たち：装飾画の試み」というタイトルをつけているという点です。

ルノワールは一八七七年の印象派の雑誌で、現代の装飾画についてこのように記していました。

建造物における装飾は、並外れて贅沢な我々の時代においては、美術の中で第一の位置を得るべきだが、反対にバランスを欠いている。公共建築における装飾画は、仰々しく、枯渇し、不均斉で、それらが飾るべきものと調和していない。例えばオペラ座の絵画は、建築と一致していない。ボードリー氏の絵画は、精彩に欠け、貧弱で、色味がなく、弱く、金箔と光の中に埋もれている。（ルノワール（「ある芸術家」として寄稿）「現代の装飾美術」『美術雑誌 印象主義者』第三号、一八七七年四月二一日）

ここで批判されているのは、今日最初の方でお見せしたオペラ座の天井画のことです。バロックを意識したこの天井画をルノワールが強く批判していることと、彼が装飾画としてフレスコを意識することは、無関係とは思えません。というのもこの時期に、壁画は壁の存在感を保つべきであり、奥行きのイリュージョンを感じさせるべきではないという議論があったからです。例えばピエール・ピュヴィス・ド・シャヴァンヌは、こうした考え方を明確に示していました【図25】。

ピュヴィスの技法はフレスコではなく、マルフラージュ、すなわち油彩で描いたカンヴァスを壁に貼り付けたものです。しかしピュヴィスは、フレスコの効果を意識して、色彩を押さえて陰影を減らし、奥行きを強調しないように、水平線と垂直線で構成します。この作品が、エベールと同じパンテオンの壁画として発注されたものであることは留意されていいと思います。

まとめ

エベールのビザンティン参照とルノワールのラファエッロ参照は、単に、アカデミズムの画家が古典主義を脱した、あるいは前衛の画家が古典主義に傾倒したという話ではありません。それらはともに、油彩画の描法とは異なる、モザイクやフレスコという、ルネサンス以降衰退していった技法への、十九世紀後半の、流派を超えた着目でした。

この背景には、アカデミズムの限界という

25 ピエール・ピュヴィス・ド・シャヴァンヌ《聖ジュヌヴィエーヴの幼年時代》と《聖人たちのフリーズ》1877年、マルフラージュ、460 × 277.8cm ／ 460 × 343.1cm ／ 460.6 × 277.8cm、パンテオン（サント=ジュヌヴィエーヴ聖堂）（パリ）

要素の他に、第三共和制の特殊事情も関係しています。一八七〇年の普仏戦争で敗北したフランスは、この時期、国民国家としてのアイデンティティを反映した公共のモニュメントや壁面装飾に力を入れています。パンテオンに代表される公共建築の壁面装飾はきわめて同時代的な問題であり、壁画の効果や手法への興味もそれと結びついています。

通常、エベールのようなアカデミズムの画家と、ルノワールのような前衛画家とは、対立的に捉えられ、近代美術は前衛画家によって作られたと考えられています。しかし、本当にそんな単純なことなのでしょうか？　本日紹介した事例からは、アカデミズムと前衛の双方に、この時期に壁面装飾という分野を通し、ルネサンス以来の絵画が追求していたものへの疑問から、古い技法を積極的に評価しようとする共通の態度を認めることが出来るのです。

そしてそこにはやはりローマという場所が、大きな意味を持っていました。モザイクもフレスコも建物と一体化した、動かせない絵画です。もちろんそれらはローマ以外のイタリアの各地にもあります。しかし、ローマはやはり決定的に美術の都だったのです。画家達は、どこよりもローマという場を通じてこそ、モザイクやフレスコのような動かせない、古い技法による絵画を評価し得たのです。だとすれば、ローマは絵画の近代にとっても大きな役割を果たしたといえるのではないでしょうか。

以上で私の報告を終わります。ご静聴ありがとうございました。

■図版出典
喜多崎親撮影　Photo © Chikashi Kitazaki：図1、図3～6、図10～16、図20～22、図24～25

ディスカッション

喜多崎——それでは時間になりましたので、最後のディスカッションに移ります。各発表者の方に並んでいただき、今回の「ローマの誘惑」というテーマについてお互いに質問をしたり、あるいは補足をしたり、というような場にしたいと思っております。

それでは最初に、今日のそれぞれの発表をお聞きになっての感想やコメントをいただければと思います。最初に石鍋先生、そして古い時代から幸福先生、大髙先生、佐藤先生の順にお話しいただければと思います。では石鍋先生よろしくお願いします。

石鍋——真ん中に座れということでございまして、ちょっと困惑しております。私は来年の三月で定年を迎えます。今回のシンポジウムはそれとは関係なく、大学の一連のイベントの一つと思っておりますが、皆さん、「石鍋先生の退職の」とおっしゃいますので（会場笑）。また、確かに私の話は基調報告のような具合になって、ちょっと長すぎたかもしれません。皆さんそうなるんじゃないか、と思っておられたかもしれませんが（会場笑）。歴史の話と美術の話、両方いたしましたので、どちらかに集中した方がよかったかな、とちょっと反省しております。

皆さんからは非常に密度の濃い、レベルの高い話をしていただきました。私はイタリア美術に関しては、まあ、長い間勉強しておりますので、大高先生のベラスケスのお話などは、ローマのことですし、ある程度はわかります。けれども、フランス、ドイツ、フランドル、特に近代の方にいきますと、知らないことが多かったので、なるほどなぁ、と思ってうかがいました。

率直な印象を言いますと、ラファエッロの話題が多かったので、やはりラファエッロはすごかったんだなぁ、と思いました。来年二〇二〇年は、一五二〇年に亡くなったラファエッロの没後五百年の記念の年です。ラファエッロは一四八三年生まれで、確かではないのですが、四月六日に生まれたと伝えられています。亡くなったのが一五二〇年四月六日ですから、亡くなったのと同じ日に生まれたというわけです。そんなところからも、あいつはちょっと特別な奴、まさに天才だ、と当時から思われていたことがわかります。二〇二〇年「ラファエッロ年」には、イタリアでもいろいろな行事が予定されています。ご覧になった方も多いと思いますが、二〇一三年に国立

西洋美術館で、日本で初めての本格的な「ラファエッロ展」が開かれました。私も講演をしたり、ちょっとした本を出したりしました。けれども、日本ではレオナルドやミケランジェロは十分知られていますが、ラファエッロについては本当に知られていません。例えば、ラファエッロはアカデミックな画家だ、と見られていることそのものが、大きな誤解です。ラファエッロ自身は全くそうした画家ではありませんでした。

例えば、カラヴァッジョもラファエッロから大きな影響を受けています。カラヴァッジョはミケランジェロだけでなく、ラファエッロもすごく気にしていました。自然だけに目を向け、ラファエッロなどには見向きもしなかった、と伝記作者は言っていますが、実際はそうではありませんでした。実を言いますと、カラヴァッジョ自身がそう吹聴したのではないかともいわれています。だから、早くからカラヴァッジョは「絵画を破壊した画家」といわれたのです。今日お話のあった古典主義的画家たちは、カラヴァッジョは「神のごとき」ラファエッロを冒涜する画家だ、と見なしたわけです。そもそも、例えばジョットの時代には、画家の名声というものが認められていませんでした。名声は政治家や聖職者、詩人や哲学者のものだったわけです。そこにルネサンスの天才、ミケランジェロやラファエッロが登場し、十六世紀のヴァザーリ以降、美術家たちの伝記が書かれ、画家や彫刻家の名声が認知されるようになりました。ですから、画家などの伝記は基本的にその人を賛美するために書かれました。ときどき非難されることがあって

石鍋真澄氏

も、それは人物や風景の描き方が下手だといったものでした。カラヴァッジョは美術史上初めて、「あいつの絵は有害だ」という風に非難された画家だったのだと思います。そのことと、カラヴァッジョの近代性には関係があるのではないかと、私は考えています。

話をラファエッロに戻しますと、ラファエッロという画家は本当にいろいろな側面を持っていました。例えば、版画の持つメディア性をいち早く理解して、複製版画を売るなどして商売の道具に使っています。レオナルドやミケランジェロはそうしたことには無関心でした。それから、古代美術のモティーフを使って装飾する、いわゆるグロテスク装飾などですね、といった発想もそうです。ラファエッロは「ラファエッロ・カンパニー」あるいは「ラファエッロ・エンタープライズ」といったらいいような工房、というよりチームを作って仕事をするという、今風に言えば新しいビジネス・モデルを創造しました。彼の絵の様式も多様です。晩年の絵などは、バロック美術に近いところがあります。ラファエッロがもっと長生きしていたら、絵画の歴史も変わったのではないかと思います。

今、カラヴァッジョの本を用意しているんですが、書き終わったら、ラファエッロもいいなぁ(会場笑)、と思いました。長くなりましたが、皆さんのお話を聞いての思いつくことをお話ししました。

喜多崎——では幸福先生、よろしくお願いします。

幸福——他の皆さんの発表を聞いての感想ということとはちょっと違うのかもしれないのですが。最初にこのシンポジウムのお誘いを受けた時に、僕はオランダ・フランドルが専門ですので、やはりルーベンスやレンブラントの方がわかりいいかなと考えました。例えば今日触れたルーベンスに関しては、イタリアに長くいて、その間イタリアの画家ともさまざまな交流があって、それについては繰り返し議論されてきています。レンブラントはイタリアに行っていないのですが、イタリアのいろいろな人の版画を見て研究したりとか、実はイタリア・ルネサンスとすごく関わり、バロック美術とも関わってきたことが研究成果として生まれてきています。その一方、ブリューゲルのようにローマに行っているものの、帰国後も全く一切そういう痕跡を見せない画家もいる。ブリューゲルについては、昔本を書いたことがあります。

今日の対象はイタリア、ローマなので、それをどう見たかという話になるのはある意味当然のことではありますが、イタリアに心酔したのか、そうではなかったのかというのとは少し違う議論ができないかなと考えました。今日の僕の話が、それにうまく答えられたかどうかは自分ではわからないのですが。

今日はあまりお話しできませんでしたが、十六世紀のイタリアでは北方のエングレーヴィング版画をとても高く評価している。ですからさっき言った通り、わざわざオランダ人を雇って複製版画を制作してもらっている。もちろんイタリアにもライモンディやギージとか、優れた複製版

幸福輝氏

画家はいたのですが、でもやはりオランダ人が高い評価をされている。その一方で、多くのオランダ・フランドルの画家はどんどんイタリアにやって来て、ローマで、ラファエッロとか、ミケランジェロとか古代の彫刻や遺跡を描く。要するに、イタリアに学ぶこととイタリアを超えるという自負が混在している。一番簡単に言うと、オランダの複製画家は技では評価されるけれども、芸術の階級で言うと下に見られてしまう部分が根本にはあった。先程紹介したバリオーネの版画論というのも、基本的にはそこに行くのだろうとは思うのですが。ただその中でも単純にそう言えない部分がすごくある。例えば、ホルツィウスも明らかにイタリアを絶対視しているのだけれども、実際に絵を描く時は、先程はハイブリッドという言葉を使いましたけれども、絵画、素描、版画という伝統的枠組みを越えたような表現に固執する。これはどうみても古典主義とはいえない。このようなホルツィウスは、僕の感じでは明らかにイタリアっぽくない。もちろんハイブリッドだからイタリアっぽくないとは簡単には言えないわけですけども。

ですから、言ってしまうと当たり前のことかもしれないのですが、芸術家にはイタリアに対して実に複雑な感情、称賛や敵意――敵意はあまりないと思いますけれども――、反発などがあったのではないかという気がしていて、今日ほかの先生たちの発表を聞いても、ますますそういう風に思いました。あまりちゃんとした感想になっていませんが、イタリアを良しとするか、反発するのかという二元論ではなく、これから考えられていければいいかなと思います。

喜多崎――ありがとうございます。大高先生お願いします。

大髙――私はベラスケスを専門にしておりますけれど、そのベラスケスとイタリア、直接的にはローマという問題について、今日の話の中でほぼ語りつくさせていただきました。やはり、イタリアにある古代美術やルネサンス、バロック美術というのは、スペインの芸術家たちに一種のモデルや規範を提供していった。ただ先程申し上げましたように、耽溺することではなかっただろうと考えています。

皆さんの発表をうかがった上で議論の場に提供する話題として一つ、石鍋先生はイタリア、特にローマが大好きなので、お子さんにもその都市の名前を付けてらっしゃるそうですけれども、今日のご発表の中でプッサンがイタリアの画家だという言い方をされておりましたのは、それはちょっと違うかなと私は思っておりまして（会場笑）。そのあたりはいずれ議論したいと思っています。確かに制作の場はローマではあっても、やはりその持ち続けているものは基本的に違うと。例えばイタリアの風景をモデルとしていても、イタリア人にしてみると、ああいう風には描けないだろうと考えるところがありまして。そのところが一点。

もう一つ、ラファエッロが問題になっていましたけれども、十九世紀後半あたりから、ラファエッロの絵というのは面白くないんじゃないかという見方が出てきて、ラファエッロの名声は凋落していくわけです。その凋落はどこから来ているのか？　それはおそらくセザンヌあたりからではないか。ラファエッロのように易々と美しく描かれた絵に対して、芸術というのはそんなも

大髙保二郎氏

のであってはいけない、苦闘せねば、といった美学の登場があるのではないかなと。私としては
そんなところです。

喜多崎——では、佐藤先生。

佐藤——今の大髙先生の話と同じく、やはりどうしてラファエッロが常に手本となったのだろうというのが、以前から気になっていました。今日の私の発表の中では、ヴィンケルマンが明言した「ラファエッロ第一主義」、それが次のロマン派になってもラファエッロは否定されず、初期のラファエッロに関しては素晴らしいとされ、ラファエッロを手本として保持しながら続いていく。つまり、ラファエッロの中に、古代と中世の両方が見い出されているのです。時代が変わり、中世主義者のフリードリヒ・シュレーゲルが出てきてからも、ラファエッロを讃え続けているのはすごく不思議なことに思えます。また、どうしてレオナルドとかミケランジェロではだめなのか、ということも疑問の一つです。

喜多崎先生のお話の中で、ルノワールがラファエッロのことをすごく否定的に言っていたのに、実際見てみると素晴らしくて感激したというルノワールの心の変化に感激しました。実物を見てみたら良かったという作家がいたことがとても興味深いです。

佐藤直樹氏

このようなラファエッロという存在に関して大髙先生に質問したいと思っておりました。ベラスケスはラファエッロに興味がなかったのか、ラファエッロを引用した作品はないのかということを質問したいと思っておりました。

喜多崎――ありがとうございます。私は司会としてこの場をまとめないといけないという役割がありまして（会場笑）、皆さんのご発表に対する今のコメントをうかがっていて、いくつか切り口が出てきたようですので、それについて話します。あまりラファエッロの話になるとラファエッロのシンポジウムになってしまいますので、ちょっとローマに戻したいのですが、ローマのラファエッロに代表されるような古典的な規範というようなものが成立して受け取られていく。例えばベラスケスにしろ、十九世紀の画家にしろ、あるいは北方の画家にしろ、そういう価値観を基本的には持っている。ところが実際にローマに行くと、別のものを見出したり、反発したりということも含めて、それに何らかの変化が出てくる。その、実物に接して変わる時に、スペインの画家、北方の画家、ドイツの画家としての国民性というか、国ごとの文化や価値観みたいな背景が大きく作用するのではないかということが一点。

もう一点は、先程言った、実物を見ていない場合の知識というのはどこから来るのかということで、これは私は複製版画を通してだと思うのですね。幸福先生のお話でも、佐藤先生のお話でも、この複製版画の問題を指摘されました。その複製版画を通じて得るものというのは、簡単に言うと、例えば人体のプロポーションだったり、あるいはポーズだったりというもので、そういうものと実物との間にある差みたいなものを現地で感じるわけです。その問題と、さっきの反発のような態度との間に、関係があるのかどうか、これが二点目です。

そして、それぞれの芸術家がさまざまにローマの影響を受けるのですが、そういう流れの中で、今日実はあまり出てこなかったのが、ローマが美術の都として復興した劫掠後のバロックの美術というものは、その後にどういう風に継承されているのか、あるいはいないのかについてです。皆さん意外と古典主義、あるいはラファエッロを通じた古代みたいなところにいくので。バロックとは何だったのか、といったバロック美術の本質というよりは、その後世に与えた影響ですね。そういうものと、先程の複製から学ぶという問題とか、各国の文化の問題と絡むところがあるのか。かなり難しい問題になってくるのですが、そのような三つのポイントというのを考えてみました。もし、今の話の中でお感じになるところがあったらお話しいただきたいです。石鍋先生、いかがですか。

喜多崎親氏

石鍋——ニコラ・プッサンをイタリアの画家だというのはけしからん、というのはごもっともです（会場笑）。私もプッサンはイタリアの画家ではないと思います。ではなくて、ローマの画家です（会場笑）。こう言うのは、僕がイタリアびいき、ローマびいきだからではありません。実は、プッサン研究にはそういう問いがずっとあるのです。

例えば、一九七七年にローマで初めてプッサン展が開催されました。プッサンというのは、先程も話しました通り、どうもローマの人々にはあまり人気がありませんでした。だから、彼の作品の半分以上はローマにあったわけですが、みなフランスやアメリカなどに売られてしまいました。そういうわけで、ローマにはプッサンの絵がほとんど残っていないので、プッサンとローマは結び付かない、プッサンとローマの関係は忘れられてしまっているのです。その展覧会の時に、当時のプッサン研究の第一人者のジャック・チュイリエが「プッサンはローマ画家かフランス画家か?」というエッセーを書いています。

その時、もうひとりのプッサン研究の大家だったアンソニー・ブラントというイギリス人がこう言っています。プッサンは作品のほとんどをローマで描き、ローマ生まれの奥さんをもらい、イタリア語もよくできて、ローマ人のようになっていた、ルイ十四世に招かれてパリに行った時にも、こんなところにずっといたら、ここの絵描きが皆そうであるように駄馬になってしまう、と手紙に書いている、そんなプッサンをローマの人々が初めて受け入れた、それが今回の展覧会だ、とカタログに書いているのです。プッサンがローマで亡くなると、フランスではすぐに、プッサンは今までギリシアとイタリアが独占していた芸術をフランスに持ち帰った、として彼を古典主義の神殿に祭り上げたのです。

そんなわけで、フランスの学者がプッサンをフランスの画家として研究するという、一種のナショナリズムの伝統は、プッサンが世を去った時から不動のものとしてずっとあるわけです。例えば、ウォーターハウスというイギリス人が、ローマバロック絵画のカタログを作った時、その中にプッサンは入れませんでした。まさかプッサンを入れるわけにはいかないよね、フランス人に失礼だし、喧嘩を売る気はないから、ということだと思います。

私はもう少しマクロヒストリー的な見方に興味がありますから、そういう見方をしていたのでは、プッサンもわからないし、ローマという都市の美術史上での役割も理解できないのではないか、と考えている次第です。

大髙——そのあたりは非常に微妙だから、ローマの画家というのもおっしゃる通りかもしれません。例えば、長年スペインで暮らしたエル・グレコをスペインの画家ということに対して、最近のギリシア人の研究者がやはりその出自の問題というのをかなり重視して、エル・グレコの作品の中にビザンティン的な要素をすごく見出そうとする。では、長年フランスに暮らしたピカソの場合はどうかと言うと、これはもう、もっと複雑で微妙な問題でして。ピカソの芸術を概観しますと、アングルやマネ、セザンヌをはじめ、芸術上のライバルにして友マティスといった多くのフランスの画家たち、また多くのフランス人の文学者や親友から画商まで、すなわちフランスを抜きにしてピカソの存在はない。しかし同時に、アルタミラからラール・ネグル、古代ギリシアやエジプト美術、中世からルネサンス、さらには近現代まで、フランス以外の影響源も併せて考えなければなりません。その意味では脱時代、脱国境的に人類の美術史を「ピカソ化（picassización）」したと言えるでしょう。ただ、そうしたピカソを貫く地下水脈、彼の体質としては地中海人にしてスペイン人、より具体的にはアンダルシア人というマラガ生まれのこの巨匠のエッセンスを忘れてはならないと考えています。

石鍋先生に余計な質問をしたのかもしれませんけど、非常に難しい問題だと思ってはおります。失礼しました！（会場笑）

石鍋――まあ、そういうことなんですが、ヨーロッパの人たちのそうしたナショナリズム的な伝統や議論から、われわれは一番遠くにいるわけです。遠いにもかかわらず、フランス美術を研究している人はフランス人以上にフランス、フランス、イタリア美術をやっている者はイタリア、イタリアとなってしまうところがある。そのへんが少し気になっています。

ちょっとだけ宣伝していいですか？　慌ててしまって、最後のスライドを映すのを忘れてしまいました。『教皇たちのローマ　ルネサンスとバロックの美術と社会』という本が間もなく平凡社から出ます。今の議論なども詳しく書いてありますので、よろしくお願いします（会場笑）。

喜多崎――今のお話をうかがっていて思ったのは、もちろん各国のナショナリズムと結び付いた問題というのがここにあるのですが、いみじくもイタリアではなくローマだと。今日はローマのシンポジウムなので、ここに戻さないといけないのですが、ローマの特殊性というのがやはりあるのだろうと思うのですね。つまりプッサンの議論というのは、十七世紀の前半のローマという都市は、国際的な文化都市、美術都市としてヨーロッパ中から人々が来る、まさしくイタリアという範囲を超えた文化都市だった、という感じがするのです。そういう場所は、スペイン、北方、あるいはドイツ、フランスという国から見て、やはり非常に憧憬の対象ですよね。と同時に、例えばフィレンツェに行けばメディチ家のもとでのルネサンス美術、ヴェネツィアもヴェネツィア派の美術というそれぞれの地域差があるわけです。ローマというのは古代の遺跡が残り、中世のものはだいぶ減ってますがそれでもまあ残っている。そして、ラファエッロが活躍していた都市であり、そしてバロック美術発祥の地でもあります。こういうとても複雑な状況が混在しているローマの特殊性みたいなものと、今までの問題、あるいは、今日のご自身の発表との関係みたいなことはどうでしょうか？　例えば、幸福さんの例だと、版画家二人が違う反応をしているということと、ローマが元々持っている性格みたいなものは何か関係があるのでしょうか？

幸福――今日は全くお話ししなかったのですけど、実はホルツィウスという人は晩年の一〇年位、油絵を描いています。今知られているのは一〇点弱位だと思うのですが。ホルツィウスは元々版画家です。皆さんご存知の通り、レンブラントは絵を描くし版画も作った。デューラーもそうです。でもホルツィウスは初めから版画家として出発しています。

さっきもちょっと引用しましたけど、イタリアから帰ってきた時のホルツィウスが、ティツィアーノとかの画家で頭がいっぱいになって、自分もそうした絵を描くのだという、まあ具体的には言ってないのですけども、そういう風に思い立つというファン・マンデルの記録があるのですね。ただ残念ながら、これは僕の個人的意見なのですが、ホルツィウスが晩年描いた油絵というのは本当の傑作かというとちょっと違うような気がします。もちろん重要な作品なのですけど。

僕はむしろ途中の、さっき紹介したような、ああいう非常に不思議な、版画と油絵の中間のような絵が一番の彼の傑作として残っているのではないかと思います。今の喜多崎さんの問いへの答えとは違うのですが。ローマからどういう影響を受けたかというのは、例えば、ハウトはエッチングの新たな表現の可能性をローマで学んだのではないかという話を今日はしました。ハウトは史料も少ないので、この版画家がローマで何を学んだのかはよくわからないのですが、イタリアで高い評価を受けていた北方のエングレーヴィング版画家のひとりであるハウトが、ローマでイタリアのエッチングに影響を受けたことが事実であるとすると、ラファエッロとかアカデミーといった大きな潮流とは別に、さまざまな交流が支流の部分で起きていたような気がします。

反対にホルツィウスはものすごい資料があるものですから、ホルツィウスについてはローマとの関係、イタリアとの関係というのは議論ができるのですけれども、ローマの特殊性との関連としては今の僕にはわかりません。

喜多崎——そうですね、難しい問題ですね。主に十八世紀から十九世紀半ばの美術の都としてのローマというテーマでのご研究がある佐藤さんは、これまでのそうしたご研究を踏まえて、国際的な文化都市としてのローマをどのように考えられますか。

佐藤——これもすごく難しい問題です。先程、喜多崎さんがまとめてくれたローマが人を惹きつける要素にもう一つ加えると、「風景」があると思います。例えば、フランスのヴァランシエンヌに次いで、ドイツのロマン派の画家たちが、ローマ近郊のカステッリ・ロマーニ周辺の自然を発見したということがあります。そのような、ヴェネツィアやフィレンツェにはない風景の魅力がローマにあったことは大きいと思います。

先程のローマ人かどうかということについては、ドイツから見た時、「ドイチェ・レーマー」つまり「ドイツのローマ人」という言葉があって、それは「イタリアのドイツ人」では決してないんです。十九世紀のナザレ派もそうですし、カフェ・グレコなんかでいつもたむろしているようなドイツ人の風景画家のグループも、自分たちが「ローマ人」なのだという点をすごく意識している。また、ヴィッラ・メディチのフランス・アカデミーの画家たちと、ドイツ人は仲が悪かったというように簡単に言い切っている昔の文献もあるのですけど、実は両者はすごく密な交流をしていることがわかってきました。スケッチ場所の情報交換とかもあったでしょうし、ドイツのナザレ派と、当時ローマ賞で留学していたフランス人のアングルとの交流も明らかになってきています。この一例を見ても、かなりインターナショナルな交流がローマにあったことがわかります。ローマに国際的なアート・シーンがあったことも、芸術家たちを惹きつける魅力になっていたのではないかなと思っています。

喜多崎――私は十九世紀が専門ですので、今日お話しする時に、新古典主義の話をしようか、迷ったのです。実は、ナポレオンがローマ、ヴァチカンなどからいっぱい古代彫刻やラファエッロを持っていってルーヴルに置いて、そこでオーストリアのマリー＝ルイーズと結婚式をするわけですね。そのほかにもナポレオンはローマの古代のモニュメントをいくつも真似している。要するにフランス帝国の首都パリを新しいローマにするというイメージがあるわけです。その時のローマというのは、単に皇帝や帝国というイメージでのつながりがあるだけでなく、ヴァチカンから《ラオコーン》や《ベルヴェデーレのアポロ》を持っていってしまったことからもわかるように文化的な存在でもあった。ナポレオン自身は美術に興味がなくて、それを権力にどう利用できるかという考え方なのですが、ローマから大規模に美術品を持っていったのは、やはり文化都市というローマの持っている威力というのがすごく大きかったのだと思います。

いわんや芸術家はローマという規範が最初にあって、そこへ行けば何でも本物になり得ると考えている。悪く言えばそうした幻想を早くから植え付けられて育ってきた中で、ローマというものを特別に体験するのだろうと思います。

極端なことを言うと、大髙先生が紹介されたベラスケスが飾り気のない風景画を描くということも、われわれから見ると、ベラスケスというスペインの写実主義の文脈の画家が、実はローマで描いたという色が付いているからこそ絵になる、という考え方もできるのだろうなという風に思いながらお話をうかがっていました。

結構大変な話で長くなりそうなのですけども、あと数分で終わらないといけない時間となりました。今後の展望など何でも結構ですので、一言ずつお話しいただいて終わりにしたいと思います。石鍋先生には最後に締めていただくこととして、幸福先生、大髙先生、佐藤先生の順でお願いします。

幸福――先程ラファエッロの話が随分出ていましたので、そのことについて少しだけ言いますと、オランダ・フランドルでもラファエッロというのは常に意識にあったとは思うのですけれども、ホルツィウスはティツィアーノを意識して絵を描きました。ルーベンスとティツィアーノの関係はあまりにも有名ですが、ホルツィウスも特に晩年の絵はおそらくティツィアーノをすごく意識して描いている。フィレンツェ派とヴェネツィア派と二分してもあまり意味はないかもしれませんけども、北方の画家は元々ヴェネツィアの画家とある種の類縁性があったんですね。それが十六世紀から十七世紀にかけて、ヴェネツィア派、具体的にはティツィアーノの影響下に入っていくということもあるのかと思います。そのティツィアーノ派というのは、美術史的にはさらにルーベンスからヴァン・ダイクに引き継がれていくわけですが。

今日のテーマがローマだったので出てこなかっただけで、石鍋さんもティツィアーノは重要じゃないと思っているはずはなく、ラファエッロとは別に、北方ではティツィアーノが影響力は強かったと考えています。

喜多崎――もしかすると、ローマに対するちょっと複雑な気持ちと関係しているかもわからないですね。好みというと変ですけども、親近性があるかどうかが。

幸福――ローマを敬愛するというのは当たり前のことで、だけど、実際にはヴェネツィアの方に惹かれるといったことがあったのかもしれません。

大髙——先程、佐藤さんから質問があったベラスケスにおけるラファエッロの影響について。これはエピソードとして伝えられているのですけども、「君はラファエッロのように描かないのか？」ときかれたベラスケスは、「私は繊細さで第一であるよりは、粗野さにおいて第一でありたい」という風に答えた。そしてその繊細さということでは、ラファエッロと先程のルノワールはやはりつながっていて、同質の傾向があるのではないかなと思います。ルノワールはある時期、ラファエッロを相当に研究したのだろうと思います。

それから私の個人的な関心としては、ヴィンケルマンのアポロ主義と彼が称賛する《ラオコーン》の結び付きについてはまだ距離というか、その解釈に矛盾を感じるところがあって、これからも考えていきたいと思っています。

佐藤——今、幸福さんと大髙先生の話を聞いて僕なりに考えてみたことがあります。オランダとティツィアーノというのは僕も腑に落ちると言いますか、今日見せていただいた版画でも、オランダの写実主義というものが、何かラファエッロとは違うもの、あるいはスペインのベラスケスにも関係しているのかなとちょっと考えました。というのも、ラファエッロが持っているものというのは理想的な美で、写実的なものとは離れていると思うのです。今日、私の発表で美術教則本というものを紹介したのですけれども、そこにはいつも古代彫刻を模写するページがあるのですが、オランダのド・ライレッセが教則本を作ると、驚くことにラファエッロではなく、レンブラントの人物像を手本に載せたのです。そこには、美しくない人間、お腹の出ている男性や女性が手本として出てきます。これはほかの教則本ではあり得ないことです。この現象には、理想よりも写実を第一とする考え方があるのだと思います。同様に、ベラスケスもラファエッロ的な理想美よりも、写実こそが重要だと考えていたのではないでしょうか。写実主義のバロック期が、ラファエッロを必要としなかった唯一の時代なのかもしれません。

喜多崎——では石鍋先生、締めをお願いします。

石鍋——先程の佐藤先生のご発表「ヴィンケルマンのアポロ主義」の中で、《ベルヴェデーレのアポロ》——これはナポレオンがイタリアからパリにたくさん運ばせた美術作品の中で一番自慢にした作品だといわれています。私なんかは、もっといい作品がいっぱいあると思っちゃいますが（会場笑）——と、ベルニーニの《アポロとダフネ》をヴィンケルマンは比較して、古典主義とバロックの極端な対照例として、こっちは素晴らしい、そしてこっちはだめと評価した、という話がありました。しかし、よく見ていただくとわかるのですが、顔はものすごくよく似ています。そっくりなのです。実際、ベルニーニは《ベルヴェデーレのアポロ》を学んで《ダフネとアポロ》を制作しました。ただベルニーニの彫刻には動きがあるので、そういう印象を受けないだけなのです。

ベルニーニはルイ十四世の招きでルーヴル宮の設計のためにパリに行ったことがありますが、その時の講演でも、古代美術を学ばなければだめだ、と言っています。実際、彼は小さい時からヴァチカンの古代彫刻を一生懸命学びました。つまり、われわれが勝手にルネサンスだとか、バロックだとか、古典主義だとか言っているのは、近代になって張られたレッテルを繰り返しているにすぎません。果たしてそれでいいのだろうか、そうした見方は美術史家の「バカの壁」になっているのではないか、と私は思っています。もうちょっとマクロ的に見る必要があるのではないかと思うわけです。

ルネサンスとバロックを考えると、バロック美術はルネサンス美術が堕落したものだ、とかつては言われました。堕落だというふうことは、バロックはルネサンスの続きだと見たわけです。しかし、二〇世紀になって、バロックの独自性が認められるようになりましたが、それはルネサンスとバロックを対立するものとして捉えられるようになった、ということでもありました。例えば、ヴェルフリンという学者の様式論、線的と絵画的、閉じられた形式と開かれた形式、といったルネサンスとバロックの対立概念はよく知られています。個人的なことをいいますと、ルネサンスとバロックの明確な対立といったものは、一種の錯覚のようなものではないかとさえ、私は思っています。つまり、ベルニーニにとっては、バロック的な画家と古典主義的な画家がいる、というのではなく、上手な画家と下手な画家がいるだけだったのだと思います。つまり、ローマという都市は一種の「るつぼ」のようなところ、ヨーロッパ中から来た美術家たちが、古代やラファエッロや、そしてカラヴァッジョなどの同時代の美術を学び、それらを融合することができる場所だったのではないか、それが「ローマの誘惑」の源泉だったのではないかと思うわけです。

さっきプッサンをローマの画家といってお叱りを受けましたが、話の最後に私はクロード・ロランの例をあげました。ここにおられる幸福先生は素晴らしいクロード・ロランの展覧会を国立西洋美術館でおやりになりましたが、そのカタログに、クロード・ロランをフランスの画家だなどとはいえない、と書いておられます（会場笑）。フランスのロレーヌ出身のクロード・ロランは、小さい時にローマに出て、菓子屋かパン屋の職人になろうと思ったのですが、絵に興味を持って画家になりました。ほんの少し帰郷したことがありますが、彼のすべての絵はローマで描かれたものです。私が言いたいのは、要するに、クロード・ロランの絵はフランス的だなどとはいえない、むしろローマ的だ、しかし、ローマ的というよりヨーロッパ的に見える、ということです。これが西洋美術史上、初めてヨーロッパ中の美術家が参画して生まれたバロック美術というものなのではないか、ということを先程お話ししたつもりです。

喜多崎——まだまだいろいろ面白い問題が出て参りますが、ローマの性格は複雑で、いろんなものがあるからこそ美術の先進地になり得たわけです。そういう性格について、最後に石鍋先生にまとめていただいた形になったので、どうにか終えることができるかなと思います。

時間が来てしまいました。今日はこれでシンポジウムを終わらせていただきます。ありがとうございました。

喜多崎 親
佐藤 直樹
石鍋

あとがき

このシンポジウムは、成城大学の石鍋真澄教授が二〇二〇年三月で定年を迎えられるため、その前に何かやっていただこう、という主旨で始まった。従って、決して石鍋教授の退任記念のイヴェントではなかった。

ところが、年が明けてから、予想だにしない状況が出来した。新型コロナウィルスCOVID-19の蔓延である。二〇二〇年の三月に入り、大学関係でも学会や卒業式が中止や延期となり、新年度の授業開始までが大幅に後ろにずらされることになった。三月に予定されていた石鍋教授の最終講義も延期となってしまい、結果的に十二月にこのシンポジウムを開催しておいてよかったということになった。石鍋教授の愛するイタリア（もちろん、このシンポジウムに参加した講演者は、美術史研究者として皆イタリアが好きである）は、現在百数十万の罹患者と六万人の死者を出し、日本からは自由な渡航もままならない。この報告書が世に出る頃には、ウィルスの感染が少しでも落ち着いていることを願ってやまない。

前回に続きシンポジウムのポスターをデザインしていただき、この本への掲載も快く承諾していただいた櫻井印刷さん、またいつも的確な編集作業とデザインを提供してくださる三元社の東大路道恵さんにも、この場を借りて改めて感謝したい。

二〇二〇年一二月一〇日

喜多崎 親

ローマの誘惑

西洋美術史におけるローマの役割

The Lure of Rome — The Role of Rome in the History of European Art

2019年 12月14日(土)
13時30分〜17時30分

成城大学 7号館 007教室

シンポジウムの詳細・参加申し込み先　参加費無料

http://www.seijo.ac.jp/events/sym191214.htm

・お申し込み多数の場合は、抽選となることがあります。
・やむを得ぬ事情で講演内容の一部を変更することがございますので、ご了承ください。

発表者

- 大髙保二郎（早稲田大学名誉教授、スペイン美術史）
「ベラスケスのイタリア遊学：ローマでの教訓と実践」
- 幸福　輝（本学大学院非常勤講師、オランダ・フランドル美術史）
「ふたりのヘンドリック — ローマのオランダ版画家たち」
- 佐藤　直樹（東京藝術大学准教授、ドイツ・北欧美術史）
「ヴィンケルマンのアポロ主義とラファエロ主義」
- 石鍋　真澄（本学教授、イタリア美術史）
「ローマからイタリア美術、そしてヨーロッパ美術を見る」
- 喜多崎　親（本学教授、19世紀フランス美術史）
「フランス近代絵画とローマ」

パネリスト紹介

石鍋真澄［いしなべ ますみ］
東北大学大学院文学研究科博士課程中退、博士（文学）。フィレンツェ大学に留学後、成城大学短期大学部専任講師となる。成城大学文芸学部教授を経て、現在成城大学名誉教授。専門はイタリア美術史。著書に『ベルニーニ　バロック美術の巨星』（吉川弘文館、一九八五年）、『聖母の都市シエナ　中世イタリアの都市国家と美術』（吉川弘文館、一九八八年）、『フィレンツェの世紀　ルネサンス美術とパトロンの物語』（平凡社、二〇一三年）、『教皇たちのローマ　ルネサンスとバロックの美術と社会』（平凡社、二〇二〇年）など。

幸福輝［こうふく あきら］
東京大学およびルーヴァン・カトリック大学博士課程中退。国立西洋美術館で学芸課長、シニア・キュレイターなどを務め、その間、パリ国立図書館およびアムステルダム国立美術館版画素描室で版画史研究をおこなう。主な展覧会に「ブリューゲルとネーデルラント風景画」（一九九〇年）、「クロード・ロランと理想風景」（一九九八年）、「レンブラント──光の探求／闇の誘惑」（二〇一一年）、著書に『ピーテル・ブリューゲル──ロマニズムとの共生』（ありな書房、二〇〇五年）、『17世紀オランダ美術と〈アジア〉』（中央公論美術出版、二〇一七年）など。

大髙保二郎［おおたか やすじろう］
マドリード・コルプルテンセ大学哲・文学部大学院美術史、早稲田大学大学院文学研究科博士課程（共に満期退学）。跡見学園女子大学、上智大学、早稲田大学各教授を経て、早稲田大学名誉教授。専門はスペイン美術史、バロック美術。主な著書に『ゴヤ：戦争と平和』（新潮社、二〇一六年）、『肖像画──姿とこころ』（共著、集英社、二〇一七年）、『ベラスケス──宮廷のなかの革命者』（岩波新書、二〇一八年）、『スペイン美術史入門』（共著、NHKブックス、二〇一八年）など。共編・訳書に『ゴヤの手紙──画家の告白とドラマ』（岩波書店、二〇〇七年）。

佐藤直樹［さとう なおき］

東京藝術大学大学院美術研究科博士課程中退。国立西洋美術館主任研究員を経て、東京藝術大学美術学部芸術学科准教授。専門はドイツ・北欧美術史。展覧会に「アルブレヒト・デューラー版画・素描展」（二〇一〇年）、「ヘレン・シャルフベック——魂のまなざし」（二〇一五年）、編著書に『ローマ　外国人芸術家たちの都』（竹林舎、二〇一三年）、『芸術愛好家たちの夢　ドイツ近代におけるディレッタンティズム』（三元社、二〇一九年）、『ヴィルヘルム・ハンマスホイ——沈黙の絵画』（平凡社、二〇二〇年）など。

喜多崎親［きたざき ちかし］

早稲田大学大学院文学研究科博士課程中退、博士（文学）。国立西洋美術館主任研究官、一橋大学大学院言語社会研究科教授などを経て、現在成城大学文芸学部教授。専門は十九世紀フランス美術史。著書に『聖性の転位——一九世紀フランスに於ける宗教画の変貌』（三元社、二〇一一年）、『甦る竪琴——ギュスターヴ・モロー作品における詩人イメージの変遷』（二〇二一年、羽鳥書店）、編著書に『前ラファエッロ主義——過去による19世紀絵画の革新』（三元社、二〇一八年）、『近代の都市と芸術2　パリI——一九世紀の首都』（竹林舎、二〇一四年）、『岩波　西洋美術用語辞典』（益田朋幸と共編著、岩波書店、二〇〇五年）など。

ローマの誘惑　──西洋美術史におけるローマの役割

著者　石鍋真澄・幸福輝・大髙保二郎・佐藤直樹・喜多崎親
編者　喜多崎親

発行日　2021年1月25日　初版第1刷発行
発行所　株式会社 三元社
東京都文京区本郷1─28─36 鳳明ビル
電話 03-5803-4155／Fax 03-5803-4156
印刷＋製本　モリモト印刷 株式会社
コード　ISBN978-4-88303-522-9